punto de
partida

· · · · · · · · · · · · · · · ·

UNA CONVERSACIÓN
SOBRE LA FE

Andy Stanley
y el equipo de Punto de partida

EDICIÓN REVISADA

NORTH POINT
RESOURCES

ÍNDICE

CÓMO UTILIZAR EL DVD MULTILENGUAJE DE PUNTO DE PARTIDA EN EL GRUPO.

ANTES DE CADA REUNIÓN
- Lee el capítulo correspondiente.
- Repasa las preguntas.

DURANTE LA REUNIÓN

1. Tiempo para socializar (10 minutos)
Tomen unos minutos para conocerse más y ver cómo les fue en la semana.

2. Tiempo de conversación (10 minutos)
Utiliza una o más de las preguntas de la primera sección de cada capítulo para encontrar una base común entre los integrantes del grupo y para llevarlos a reflexionar sobre el tema de la sesión. Si los integrantes de su grupo no han leído el capítulo, pueden leer algunos párrafos en voz alta, de forma tal que todos tengan un contexto para la conversación.

3. Ver el video (20 minutos)
La sesión en DVD enriquece el material de la guía al proporcionar contenido adicional sobre el tema.

4. Tiempo de conversación (45 minutos)
Las preguntas de las secciones dos y tres deben explorarse en forma conversacional. Debemos prevenir que ningún participante, ni siquiera el líder de grupo, domine la conversación. Evitemos forzar nuestras conclusiones en los demás. El estudio personal del material le ayudará a cada integrante a avanzar en su caminar espiritual a su propio paso.

5. Oración (10 minutos)
Tomen un momento para orar unos por otros. Habrá algunos integrantes que están atravesando por alguna situación donde necesitan la ayuda de Dios. Está bien si los miembros del grupo no comparten nada.

BIENVENIDOS

Punto de partida es un ambiente conversacional donde puedes explorar tu fe de una forma conversacional. Es un lugar seguro para hacer preguntas y aprender sobre la Biblia y el cristianismo.

Algunas de tus preguntas tal vez las has cargado por mucho tiempo y sentías que no era apropiado expresarlas en la iglesia. Preguntas legítimas que incomodarían a muchos cristianos. Aquí por favor, pregunta lo que quieras. Queremos tener conversaciones sobre los temas más importantes para ti, *especialmente sobre aquellos puntos más difíciles de abordar*.

Creemos que Dios te ama, de forma específica y personal. Creemos que Dios es lo suficientemente grande como para resolver tus preguntas más difíciles, escuchar tus momentos más oscuros, y aclarar tus dudas más profundas. Queremos honrarle a él y honrarte a ti creando un ambiente en el que puedas ser abierto, honesto y transparente.

Punto de partida está diseñado para:

Personas que tienen curiosidad sobre Dios, la Biblia o el cristianismo.
Personas quienes recién comenzaron una relación con Jesucristo.
Personas que por un tiempo se alejaron de la fe, pero desean acercarse de nuevo.

Cualquiera que sea la razón que te ha traído a Punto de partida, estamos muy contentos de tenerte aquí.

EL COMIENZO

SECCIÓN UNO:
UN PUNTO DE PARTIDA

Tuviste un primer día de clases, tu primera cita, ese primer beso, un primer empleo. Si bien muchas de nuestras *primeras* experiencias son la primera de una serie de experiencias similares, algunas de estas son *puntos de partida*. Representan los primeros pasos en un viaje. Si estás casado, esa primera cita dio un giro a tu historia, ¿cierto? Fue el punto de partida de una relación. Tu primer día de clases también fue un punto de partida. Tu carrera profesional tuvo un punto de partida. Si tienes hijos, un día milagroso comenzó el punto de partida de tu aventura como padre. Quizá no lo habías considerado antes, pero *la fe, tu fe, también tiene un punto de partida*.

Si creciste en una familia agnóstica, tu primer encuentro con alguna religión pudo haberte ocurrido en la casa de tu vecino o en la escuela, o quizá está aconteciendo en este momento. Tal vez la fe de otras personas te ha llamado la atención o te ha parecido una cuestión irrelevante. Sea como sea, sabías que eras diferente a la mayoría de las personas con una fe definida.

Si tu fe comenzó durante la infancia, seguramente se te inculcaron algunos principios espirituales básicos: *Dios es bueno. Dios recompensa el bien y castiga el mal. Dios escucha tus oraciones. Dios te ama.* Estas verdades tenían sentido en un mundo donde Santa Claus y los unicornios también eran reales. Quizá tenías preguntas. Incluso ciertas dudas en tu interior. Pero los adultos en los que confiabas parecían saber qué era lo mejor para ti en términos de fe, por lo cual seguiste firme en tu fe, al menos hasta ese punto.

Los años pasan y la realidad adulta te confronta con cuestiones para las que tu fe de la infancia jamás te preparó. Hay un conflicto en tu interior con preguntas como: Si Dios es *bueno* y *todopoderoso*, ¿por qué no hacer más para evitar el mal de este mundo? ¿Por qué hay tanta maldad sin castigo? ¿Por qué la oración parece un remedio casero para dormir tranquilo por las noches? ¿Por qué le pasan cosas malas a las personas buenas? ¿Por qué algunas personas religiosas son tan criticonas e hipócritas? ¿Por qué la religión y la ciencia no encajan? ¿Por qué parece que las personas inteligentes son menos religiosas?

Y mientras tu fe entró en estado de coma y tus dudas se fortalecieron, posiblemente te encontraste alguna vez con personas de una fuerte fe; una fe con un matiz más profundo de esa fe en los cuentos de hadas. Adultos con una confianza inquebrantable en Dios a pesar de las dificultades de la vida. Gente que no pretende tener todas las respuestas. De hecho, gente sin pretensiones. Personas honestas y llenas de esperanza, quienes reconocen las dificultades de la experiencia humana, pero cuya fe se mantiene fuerte. Y quizá su fe comenzó a sembrar dudas en tus dudas.

Si ese es tu caso, estás en el lugar correcto. Ese es el objetivo de estas reuniones. Por eso lo llamamos *Punto de partida*. Si creciste sin una formación espiritual o recién has comenzado una relación personal con Jesús, éste puede ser literalmente un *punto de partida* para ti. Si perdiste la fe en algún punto de tu vida, posiblemente este tiempo juntos sea la oportunidad para reencontrar tu fe. De verdad nos honra el hecho de que hayas elegido ser parte de esta experiencia de ocho semanas donde vamos a explorar una fe, la cual en vez de extinguirse, crecerá y se fortalecerá en los días por venir.

Desde muy pequeña, aún cuando apenas si podía hablar, la palabra «por qué» ha vivido y crecido conmigo. Al crecer me di cuenta de que no todas las preguntas pueden ser enunciadas y que muchos «por qués» jamás encuentran su respuesta. Como resultado, he tratado de resolver las cosas por mí misma dando vueltas a mis propias preguntas. Así la palabra «por qué» no solo me enseñó a preguntar, sino también a pensar. Y el pensar jamás le ha hecho daño a nadie. Por el contrario, nos ayuda a hacer mucho bien.

● Ana Frank (1929-1945), joven judía-alemana víctima del Holocausto y autora de *El Diario de Ana Frank*

7

8

SECCIÓN UNO:
PREGUNTAS

1 ¿Cómo describirías la fe que te fue inculcada en tu hogar?

2 ¿Dirías que actualmente estás?:
a) comenzado tu caminar espiritual
b) regresando a tu fe
c) solo explorando

La fe es confiar de antemano en lo que solo tendrá sentido a la inversa.

💬 Philip Yancey (1949), autor estadounidense

SECCIÓN DOS:
RAÍCES DE LA FE

La mayoría de los cristianos crecen con la enseñanza de que la respuesta correcta, independientemente de la pregunta, siempre comienza con «la Biblia dice».. En la infancia eso es suficiente. Si Dios escribió un libro, no hay razón para cuestionarlo. Sin embargo, este enfoque deja de ser suficiente para muchos de nosotros al cumplir la mayoría de edad. La verdad es que para una fe inquebrantable, nuestra base debe ser más sustancial que un *libro de milagros* escrito hace miles de años. Un libro de historias puede ser suficiente para sembrar fe en un niño. Sin embargo, un libro de historias no es suficiente para sostener la fe de un adulto. Pero si prescindimos de la Biblia, ¿hacia dónde dirigimos nuestro punto de partida? ¿Dónde comienza la fe?

Los primeros cristianos no utilizaron la Biblia como un punto de partida para su fe. Durante los primeros doscientos y tantos años del cristianismo, los cristianos no respaldaron su fe en un libro. Su punto de partida no fue algo *escrito*; fue algo que había *sucedido*.

Como probablemente sabes, la Biblia se divide en dos partes: el Antiguo Testamento y el Nuevo Testamento. El Nuevo Testamento contiene las enseñanzas de Jesús, junto con las narrativas que rodearon su nacimiento, su vida adulta y su crucifixión.

Hay cuatro libros que cuentan las obras y las palabras de Jesús. A estos documentos antiguos se les conoce como los Evangelios. Si bien la mayoría de los expertos coinciden en que los Evangelios fueron escritos durante los años posteriores a la vida de Jesús, no fueron reunidos y publicados sino hasta muchos años después. El término «Nuevo Testamento» fue utilizado por primera vez alrededor del año 250, haciendo referencia a una de las primeras recopilaciones de textos sagrados cristianos. A pesar de la falta de una Biblia cristiana, cientos

> **Todas las verdades son sencillas de entender una vez que son descubiertas. El punto es descubrirlas. Eso requiere investigación.**
>
> 💬 Galileo (1564-1642), astrónomo, filósofo, ingeniero, matemático y físico italiano

de miles de hombres y mujeres se convirtieron en seguidores de Jesús en los tres primeros siglos. El punto de partida de su fe no fue «la Biblia dice» ni «la Biblia enseña»; fue algo completamente distinto. Así mismo, notros stamos convencidos de que aún en nuestros tiempos, el punto de partida de nuestra fe como adultos comienza en otra parte.

Un gran hombre al que hoy conocemos como el apóstol Pablo viajó alrededor del Mediterráneo fundando iglesias en el primer siglo. Cuando estaba en Atenas, compartió un tiempo con un grupo de filósofos quienes se reunían con frecuencia para examinar nuevas ideas. Estaban buscando una cosmovisión para comprender el mundo entero. Superaban en conocimiento a la mayoría de las personas,

---

Lo importante es no dejar de cuestionar. Pensar es un regalo divino. Uno no puede dejar de sentir asombro cuando contempla los misterios de la eternidad, de la vida y de la maravillosa estructura de la realidad. Es suficiente si uno intenta comprender simplemente un poco de este misterio cada día.

● Albert Einstein, (1879-1955), físico alemán

---

pero no dejaban de buscar una mayor certeza discutiendo diversas ideas. Como la mayoría de las personas en su cultura, ellos creían en una multitud de dioses. Pero reconocían tener ciertas lagunas en su conocimiento. Incluso erigieron un altar «para un Dios desconocido»... por si un nuevo dios llegaba estarían listos recibirle.

Pablo vio en este altar la oportunidad de presentarle a sus nuevos amigos el mensaje central del cristianismo. No podía comenzar su presentación con «La Biblia dice» porque no había un Nuevo Testamento. De hecho, en ese punto de la historia, ninguno de los cuatro Evangelios había sido escrito. Pablo les hizo notar que la curiosidad sobre la persona de Dios era universal. Les recordó de ese algo en nuestro interior que nos lleva a hacernos preguntas y buscar respuestas. Les explicó cómo Dios realmente desea ser encontrado y cómo Dios vino a este mundo en forma de hombre. Este *Dios hecho hombre* vino a enseñarnos cómo es el Padre y a reconciliar a la humanidad consigo mismo.[1]

No fue un mensaje fácil de acoger para la audiencia escéptica de Pablo. Nunca habían oído hablar de Jesús. La noción de un solo Dios era de por sí ya bastante compleja. La idea de que este Dios hubiese tomado forma de hombre estaba fuera del marco de posibilidades para la mayor parte de la audiencia de Pablo en Atenas. Pero algo era cierto; Pablo no les pidió creer en un libro. Ni siquiera mencionó un libro. Pablo le estaba quitando importancia a las Escrituras, pero Pablo los estaba desafiando a poner su fe en una persona. Les dejó una pregunta para toda persona deseosa de explorar su fe. Esta pregunta sirve como punto de partida de la fe cristiana. La pregunta es: *¿Quién es Jesús?*

---

[1] Hechos 17:16-34

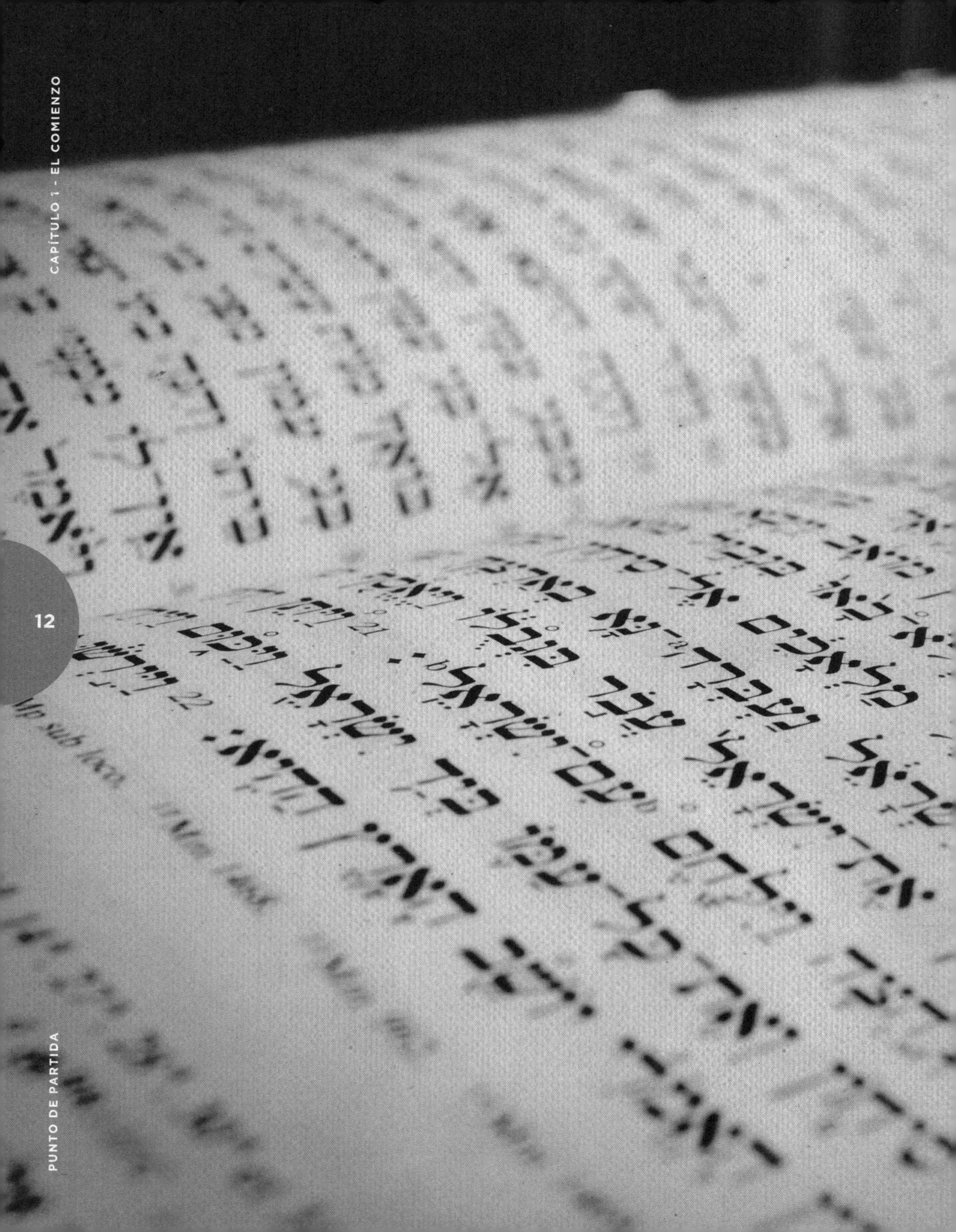

SECCIÓN DOS:
PREGUNTAS

1 ¿Qué asocias con la Biblia?

2 ¿Cómo ha cambiado tu manera de concebir a Dios durante las diferentes etapas de tu vida?

13

....

....

....

....

....

....

....

....

....

....

....

A la mayoría de las personas les molestan los pasajes de las Escrituras que no entienden, pero los pasajes que me molestan son los que sí entiendo.

● Mark Twain (1835-1910), escritor y orador estadounidense

14

SECCIÓN TRES:
¿QUIÉN ES JESÚS?

El nombre tan nuevo para los atenienses de ese entonces es bien conocido para nosotros en la actualidad. Jesús es la figura central de la fe cristiana. Diversas religiones proponen a Jesús como la base de su sistema de creencias. Pero la influencia de Jesús va más allá de la religión. Es difícil encontrar una persona en el mundo quien no respete a Jesús. Sus enseñanzas han moldeado la conciencia de las naciones. Este carpintero judío, quien nunca escribió un libro, quien nunca levantó un ejército y quien fue una figura pública por menos de cuatro años antes de ser crucificado por Roma, sigue siendo objeto de interminables conversaciones, debates, libros y películas.

¿Quién es Él? ¿Qué hacen su vida y sus enseñanzas tan especiales? ¿Qué lo diferencia? ¿Por qué millones de personas de culturas distintas en todo el mundo aún le siguen?

Ciertamente las enseñanzas de Jesús representaron un cambio radical de las normas establecidas de su época. Su versión sobre la generosidad y la compasión conmocionaban los cimientos de la creencia común. Inculcó a sus seguidores a no buscar fama ni publicidad por sus actos de misericordia o espiritualidad, mientras otros líderes religiosos procuraban tener una audiencia al orar o al ayudar a los pobres. Aunque la sabiduría convencional decía «ama a tus amigos y odia a tus enemigos», Jesús enseñó a sus seguidores a amar a todo el mundo, incluso a sus enemigos.

Pero las palabras de Jesús no garantizaron la supervivencia de sus enseñanzas durante el primer siglo. No fue su visión, sus parábolas o incluso los acontecimientos alrededor de su muerte lo que catapultó su fama y renombre por las generaciones venideras. De hecho, Pablo ni siquiera mencionó las enseñanzas de Jesús a los atenienses. La razón por la cual hombres y mujeres como el apóstol Pablo corrieron riesgos y eventualmente sacrificaron sus vidas por Jesús no fue basada en sus enseñanzas en vida, sino en sus hechos después de la muerte. Tres días después, para ser específicos.

Jesús volvió a la vida.

Una religión lo suficientemente pequeña para nuestra comprensión no sería lo suficientemente grande para nuestras necesidades.

💬 Corrie ten Boom (1892-1983), escritora cristiana y activista neerlandesa, mejor conocida por brindar refugio a los perseguidos por el régimen nazi durante el Holocausto

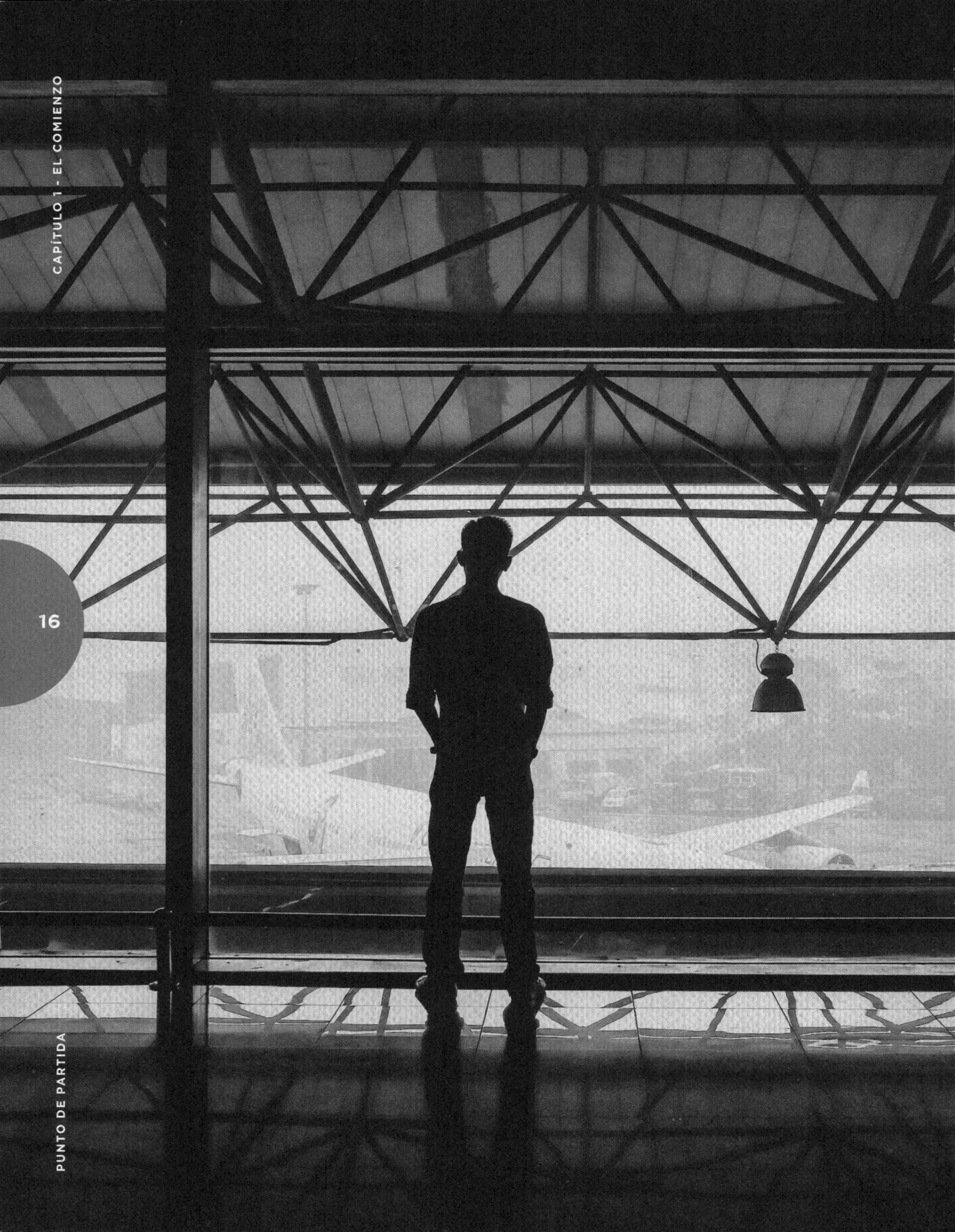

SECCIÓN TRES:
PREGUNTAS

1 ¿Qué esperas obtener de tu experiencia en Punto de partida?

2 ¿Sobre qué pregunta esperas encontrar una respuesta antes de que estas 8 semanas lleguen a su fin?

Al final del día, las preguntas que nos hacemos sobre nosotros mismos determinan el tipo de personas que seremos.

💬 Leo Babauta (1973), escritor zen estadounidense

CONCLUSIONES DEL CAPÍTULO 1

- La fe tiene un punto de partida.

- El punto de partida de la fe cristiana es una pregunta: *¿Quién es Jesús?*

- La piedra angular de la fe cristiana no consiste en los milagros y las enseñanzas de la vida de Jesús, sino en sus hechos después de la muerte: pues él volvió a la vida.

PARA LA PRÓXIMA REUNIÓN:

Lee y responde las preguntas correspondientes al capítulo 2.

En la próxima reunión hablaremos acerca de por qué tan a menudo nos sentimos separados de Dios. Todos tenemos una serie de estándares los cuales no vivimos de forma consistente. Imaginamos los estándares de Dios más altos que los nuestros. Si no podemos vivir de acuerdo a nuestros propios estándares, menos de acuerdo a los de Dios. Y cuando fallamos en nuestro intento de vivir de acuerdo a los estándares de Dios, asumimos que Él nos condena. ¿Qué tanta verdad hay en esto?

Hoy es el día en el que comienza todo lo que va a pasar de aquí en adelante.

- Harvey Firestone, Jr. (1898-1973), hombre de negocios

19

EL PROBLEMA

SECCIÓN UNO:
ES UN ERROR

La semana pasada determinamos que el punto de partida de la fe cristiana es una pregunta: *¿Quién es Jesús?* Tradicionalmente, sin embargo, el punto de partida de la fe cristiana ha sido una acusación: «Eres un pecador».

Gran diferencia.

«Pecado» es una palabra incómoda. Es tan incómoda que prácticamente la hemos dejado de usar. Cuando los niños desobedecen, los padres no les dicen «pecaste contra mí». Un jefe no le llama la atención a un empleado diciéndole: «Toma asiento. Vamos a revisar tus pecados». Ni siquiera los jueces utilizan este término cuando un crimen se ha cometido.

Al vivir en este diario conflicto (a sabiendas que no siempre hacemos el bien, pero con la intención de no ser catalogados como

---

Tu mejor maestro es tu último error.
💬 Ralph Nader (1934),
activista y abogado estadounidense

quien hace el mal) hemos adoptado un nuevo término menos dramático: *cometí un error.* No somos pecadores. Simplemente no somos perfectos. Cometemos *errores.*

Pero hay un problema con el uso del término *error* para describir todas nuestras faltas. El problema con esta etiqueta es que no describe adecuadamente todo lo que supone la palabra error.

Un *error* es una *equivocación* en una acción, cálculo, opinión, o juicio, causado por un razonamiento pobre, falta de cuidado o conocimiento insuficiente. Los errores son *accidentales.* Como una respuesta equivocada en un examen. Como olvidarte del cumpleaños de tu tío. Como llegar a la hora equivocada a una cita. Como ponerle demasiada sal a los frijoles... Sin embargo, hemos ampliado nuestra definición de la palabra *error* para que abarque un espectro más amplio.

El pecado, por otro lado, daña nuestra relación con Dios y nuestras relaciones con otras personas. Además el pecado está profundamente arraigado a nuestro ser y es básicamente imposible dejar de pecar.

¿Qué tal cuando se descubre que una

celebridad ha estado implicada en una relación fuera del matrimonio durante años? Casi siempre se defiende argumentando que fue un *error* de juicio. Pero, ¿la palabra *error* realmente captura la magnitud y la naturaleza de una infidelidad? Los cónyuges ofendidos dicen que no. Los cónyuges ofendidos se sienten traicionados. Incluso se atreven a utilizar el «anticuado» término «pecado» para describir lo que hicieron sus parejas.

Luego hay otra variante. A veces nos *equivocamos* a propósito. ¿No es así? A veces *planeamos* nuestros errores. Piénsalo. ¡Eres culpable de cometer *equivocaciones* premeditadas! ¿Cómo le llamas a un *error* cometido a propósito? ¿Cuál es el mejor término para describir una *falta* que cometes de manera recurrente? ¿Cómo le llamas a una persona que planea y lleva a cabo los mismos *errores* una y otra vez? Por último, ¿qué término debemos utilizar para definir a la persona que premeditadamente calcula sus *errores* conciente de que sus acciones van a herir a otra persona?

Tal vez hemos cometido un *error* al sustituir el término «error» para definir cierto proceder. Quizás necesitamos un nuevo término. O tal vez deberíamos visitar el museo de las palabras y rescatar un viejo término. Tan incómodo y anticuado como es el término pecado, existe un beneficio cuando lo volvemos a integrar a nuestro vocabulario.

El mayor éxito de la tentación es su ataque sorpresivo.

🗩 Carlos Cuauhtémoc Sánchez (1964), conferencista, empresario y escritor mexicano

23

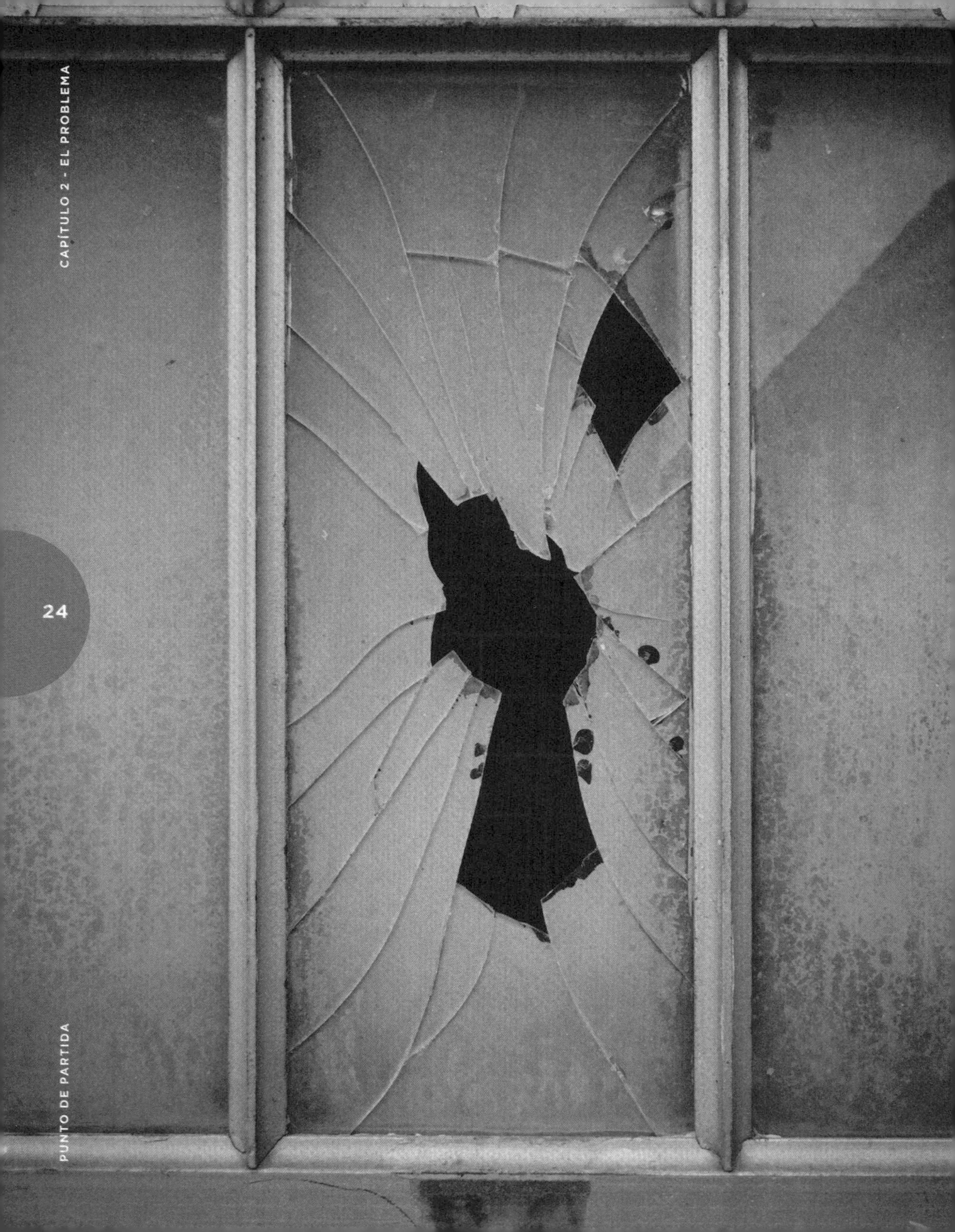

SECCIÓN UNO:
PREGUNTAS

1 ¿En cuáles casos podrías decir, según tu experiencia o las experiencias de otros, que la palabra «error» es insuficiente para describir una mala conducta?

2 ¿Qué acciones asocias con la palabra «pecado»?

3 ¿De qué manera reaccionas a las consecuencias de haber hecho algo malo?

25

Cada generación tiene sus puntos ciegos masivos en términos de moral. Probablemente nosotros no podamos verlos, pero nuestros hijos sí los ven.

● Bono (1960), líder del grupo de rock U2 y activista político

SECCIÓN DOS:
OFENSORES REINCIDENTES

Un pecador es quien conoce la diferencia entre el bien y el mal y opta por hacer el mal... ¿te suena familiar?

Tal vez tu resistencia a ser etiquetado como pecador se debe a la estrecha asociación de este término con la divina condenación. Tal vez algún fanático religioso te ha dicho que ser un pecador te condena al infierno, ¡y Dios supuestamente espera con ansias enviarte a ese lugar!

Jesús tenía una respuesta muy diferente para esas personas que iban por la vida condenando a medio mundo. Al leer los Evangelios, uno descubre más bien a un Jesús quien gravitaba hacia los pecadores. En ninguna ocasión lo encontramos amenazándolos con el infierno. Ni una sola vez. De hecho, era todo lo contrario. La respuesta de Jesús a los pecadores era una oferta de restauración. Como resultado, lo apreciaban personas muy distintas a él. Y Jesús los apreciaba. Los líderes religiosos, dejando a un lado la gracia, fueron los únicos que sistemáticamente condenaron a Jesús. Con las personas religiosas y santurronas Jesús tenía muy poca paciencia. Él podía ver en su interior.

Jesús enseñó que, si bien el pecado nos separa de Dios, la voluntad de Dios para perdonarnos nos reconecta con él. Por ende, era importante para Jesús que los hombres y las mujeres enfrentasen y reconociesen su condición pecaminosa para así reconocer su necesidad de perdón. Quienes «cometen un error» no piden perdón. Quienes «cometen un error» no necesitan perdón. Solo necesitan oportunidades para hacerlo mejor la próxima vez.

Cuando Jesús habló sobre el pecado, lo hizo incluyendo a todo el mundo, ni los más inocentes podían escaparse. Dijo frases como: «Ustedes han oído que se dijo: "No cometas adulterio." Pero yo les digo que cualquiera que mira a una mujer y la codicia ya ha cometido adulterio con ella en el corazón.»[1]

Jesús elevó el estándar de pureza a un nivel tal que nadie pudiera considerarse digno. Pero, de forma contrastante, insistió en cómo Dios, de manera incesante, intenta restaurar una relación con los pecadores. El proceso requería reconocer el pecado y pedir perdón. Así que, si bien la etiqueta de «pecador» es incómoda, Jesús enseñó que es necesaria. Los pecadores necesitan perdón. El perdón es el medio por el cual la humanidad restaura su relación con el Padre celestial.

---

1 Mateo 5:27-28

La dificultad que tenemos para aceptar la responsabilidad por nuestro comportamiento radica en el deseo de evitar el dolor de las consecuencias de ese comportamiento.

💬 M. Scott Peck (1936-2005), psicólogo y autor estadounidense

27

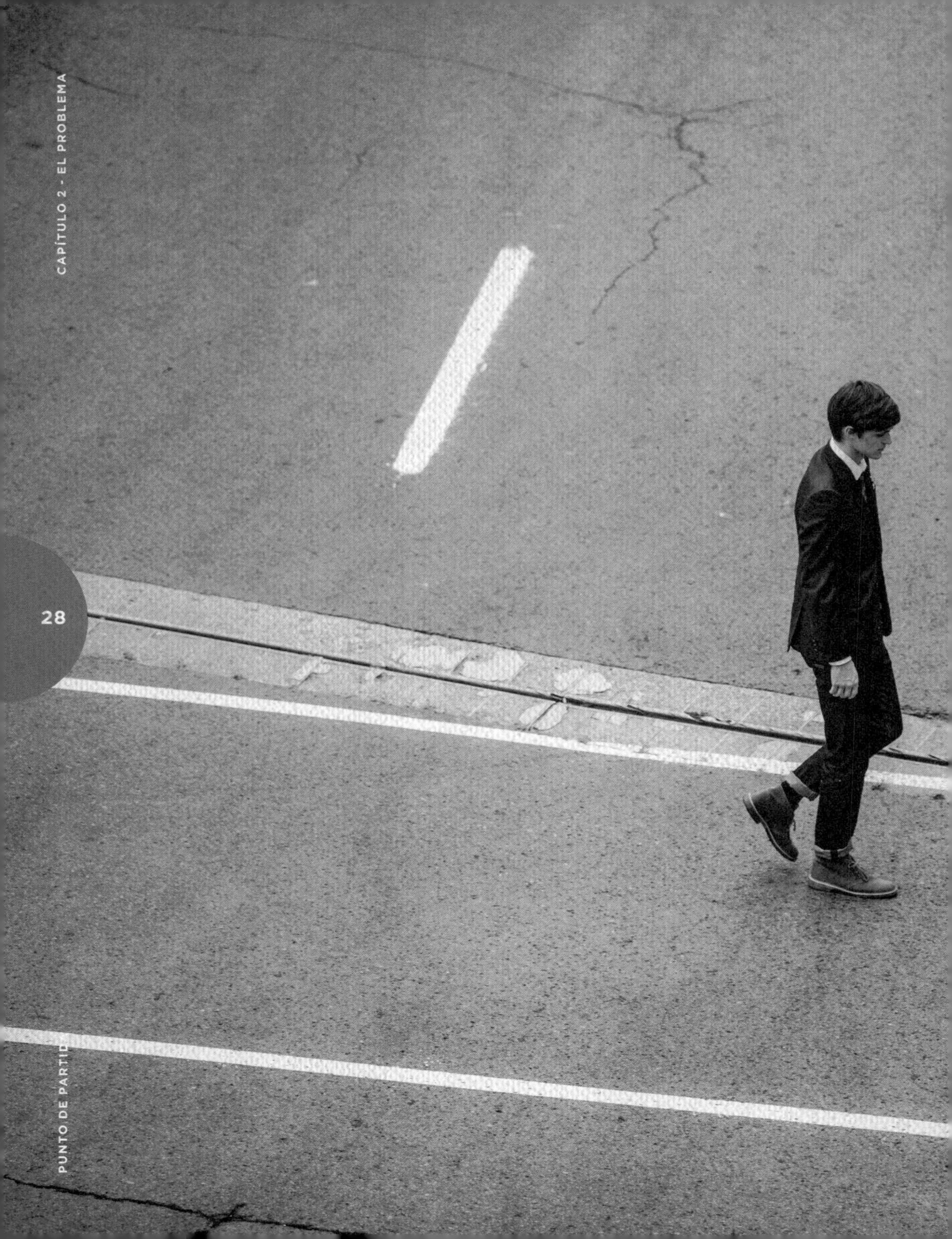

SECCIÓN DOS:
PREGUNTAS

1 ¿A qué conclusión podemos llegar sobre la persona de Jesús cuando le vemos gravitar tanto hacia los pecadores?

2 ¿Cuánto le cuesta a una persona reconocer que es un pecador?

3 ¿Te resistes a la idea de considerarte un pecador? ¿Te resulta ofensiva esta noción?

Pero hasta que una persona pueda decir de forma profunda y honesta, «Soy lo que soy hoy debido a lo que elegí ayer», esa persona no podrá decir: «Yo elijo lo contrario».

● Stephen Covey (1932-2012), autor del libro
Los siete hábitos de las personas altamente efectivas

SECCIÓN TRES:
SOLO UNA PERSONA

Los Evangelios registran eventos impresionantes en los que Jesús extendió el perdón y la restauración a quienes ya no tenían oportunidad de redención. Un evento fue el de una mujer sorprendida en adulterio. No había sido un acto de una sola vez. No fue un error. No fue un accidente. Ella sabía lo que hacía. La ley judía demandaba que fuese apedreada. Jesús, quien enseñaba que la ley era buena y debía ser obedecida, invitó a las personas reunidas a comenzar el castigo... pero con una estipulación interesante:

> «Aquel de ustedes que esté libre de pecado, que tire la primera piedra».
> Juan 8:7

Jesús no la defendió. Jesús no minimizó su pecado. Jesús no le dio excusas. No habló de su situación desesperada o de su infancia tan dura. La mujer era culpable y merecía ser castigada. De nuevo, los invitó a hacerlo. Pero nadie se movió. Nadie tiró una piedra. Eventualmente, la multitud se disipó. Los miembros más viejos de la multitud fueron los primeros en irse. En poco tiempo, Jesús se quedó solo con la mujer asustada. Fue entonces cuando se dirigió a ella directamente.

> «Mujer, ¿dónde están? ¿Ya nadie te condena?».
> «Nadie, Señor».
> Juan 8:10b-11a

Lo que Jesús le dijo a continuación es asombroso.

> «Tampoco yo te condeno. Ahora vete, y no vuelvas a pecar».
> Juan 8:11b

Jesús, quien llamaba a las personas a un estándar de conducta imposible de alcanzar, le dijo a esta mujer condenada que Él no la condenaba. Esta aparente contradicción refleja la esencia del mensaje y el ministerio de Jesús. Jesús no condona el pecado. Jesús reconoce el pecado. Pero en vez de insistir en darle a la gente su merecido según la ley, extendió a los pecadores lo menos merecido: el perdón.

Otro incidente es aún más sorprendente. Este aconteció durante la crucifixión de Jesús. El escritor Lucas nos dice que Jesús fue crucificado entre dos criminales. Según Lucas, uno de los malhechores crucificados comenzó a insultarlo. El otro criminal, sin embargo, salió en defensa de Jesús.

«Pero el otro criminal lo reprendió:
—¿Ni siquiera temor de Dios tienes,
aunque sufres la misma condena?»
Lucas 23:40

Lo que vino después fue impactante.

«En nuestro caso, el castigo es
justo, pues sufrimos lo que merecen
nuestros delitos».
Lucas 23:41

El comportamiento del criminal había sido
tan atroz, que estaba convencido de merecer
no solo la muerte, sino también el ser
crucificado; una horrible ejecución en la cual
los condenados sufrían incluso días antes de
morir. Refiriéndose a Jesús, continúa,

«Éste, en cambio, no ha hecho nada
malo. Luego dijo: "Jesús, acuérdate
de mí cuando vengas en tu reino"».
Lucas 23:41-42

¿Pero, qué gana aquel hombre al hablar
de esta forma? Ya no tiene oportunidad de
reivindicar su vida. En una situación tan
desesperada, es obvio que posiblemente
esté haciendo falsas promesas de
arrepentimiento; no hay forma de medir su
sinceridad... y por eso la respuesta de Jesús
es tan maravillosa.

«—Te aseguro que hoy estarás
conmigo en el paraíso —le contestó
Jesús».
Lucas 23:43

Simplemente así, recibió el perdón. Fue
restaurado. Sacó boleto con destino a su
nuevo y majestuoso hogar.

Si la vida fuese justa, seríamos tratados de la misma forma en que tratamos a los demás y si la vida fuese justa, pagaríamos exactamente lo que debemos. Y al final, obtendríamos exactamente lo que merecemos. Así que, hijo, quizá es mejor si la vida no es justa. A veces soy agradecido de que la vida no es justa.

● Mike Williams (1987),
jugador de fútbol americano
en la NFL

31

SECCIÓN TRES:
PREGUNTAS

1 En las páginas 30 y 31, ¿qué se destaca para ti acerca de las interacciones de Jesús con la mujer o el criminal?

2 ¿Crees que la respuesta de Jesús al criminal crucificado junto a él fue justa? ¿Por qué sí o por qué no?

Todo lo que llamamos historia humana -dinero, pobreza, ambición, guerra, prostitución, clases sociales, imperios, esclavitud- es la larga y terrible historia del hombre tratando de encontrar algo que lo haga feliz en lugar de Dios.

● C. S. Lewis (1898-1963), autor británico de *Las crónicas de Narnia*

CONCLUSIONES DEL CAPÍTULO 2

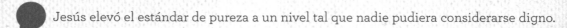 Jesús elevó el estándar de pureza a un nivel tal que nadie pudiera considerarse digno.

 Dios intenta restaurar una relación con los pecadores de manera incesante.

 Jesús nunca minimizó la gravedad del pecado, pero no condenó a los pecadores.

PARA LA PRÓXIMA REUNIÓN:

Lee y responde las preguntas correspondientes al capítulo 3.

En Punto de partida, tendrás la oportunidad de compartir la historia de tu vida con tu grupo. Utiliza la sección *¿Cuál es tu historia?* que se encuentra al final de esta guía para ayudarte a organizar tus ideas.

En la próxima reunión, hablaremos de uno de los pilares básicos de la fe. La mayoría de la gente asume que la fe comienza con la obediencia a Dios. Tendemos a imaginar a Dios como un autoritario que demanda que nos sometamos a él a cambio de su favor en nuestras vidas. Pero la Biblia nos da una ilustración muy distinta acerca de cómo Dios se acercó a una relación con la humanidad a fin de comenzar a resolver el problema del pecado.

No importa cuán dedicado seas (a Dios), puedes estar seguro de que él está inmensamente más dedicado a ti.

● Meister Eckhart (1230-1328), teólogo y filósofo alemán

LA CONFIANZA

SECCIÓN UNO:
EL DILEMA DE DIOS

La mayoría tiene más interés en sus experiencias personales que en el trasfondo *histórico* de sus creencias. Por ejemplo, la muchos cristianos conocen muy poco sobre la historia de la iglesia del primer siglo. Pueden describirte lo que no les gusta de su iglesia actual. Pero más allá de sus vivencias personales, no tienen mucho que añadir. Eso aplica a la mayoría de las religiones. Las personas generalmente se preocupan más por lograr que Dios responda a sus oraciones que por indagar de dónde vino el concepto de comunicarse con Dios. Esto es desafortunado, porque *la fe basada únicamente en la vivencia personal con el tiempo se hunde bajo el peso de nuestras experiencias negativas*. Tal vez esa sea tu historia.

Tres grandes sistemas religiosos comparten el mismo punto de partida: el judaísmo, el cristianismo y el islamismo. Los tres credos están de acuerdo en que Dios creó a la humanidad a su imagen y semejanza, lo que implica que hay algo divino en cada uno de nosotros. Las tres religiones coinciden en que en el principio Dios y el hombre vivían en armonía.

También coinciden en que Dios le dio a la humanidad la capacidad de elegir o rechazar a su Creador; el libre albedrío. Estas tres antiguas religiones enseñan que muy al comienzo de la historia de la humanidad, alguien rechazó a Dios. Cuando eso sucedió, el pecado entró al mundo y desde entonces el mundo dejó de funcionar de manera ideal. El costo del pecado es la muerte, puesto que la relación de la humanidad con Dios se rompió. El pecado destruyó la armonía.

La introducción del pecado en la experiencia humana dejó a Dios con un dilema. Tal vez no sea la manera exacta de plantearlo, pero sí podemos afirmar que enfrentó una tremenda decisión: *destruir este mundo infectado con el pecado y empezar de nuevo, o hacer un esfuerzo y arreglar el mundo*. ¿Por dónde comenzar la tarea de restaurar al mundo de los efectos del pecado? Si alguna vez derramaste un galón de pintura en tu casa o se te quebró un recipiente de vidrio con salsa en el piso de tu cocina, sabes a qué me refiero. Probablemente sentiste la tentación de rendirte, pero no lo hiciste. Simplemente escogiste un punto de partida y comenzaste a limpiar.

Dios hizo lo mismo. Simplemente escogió un hombre para comenzar. El judaísmo, el cristianismo y el islamismo concuerdan que Dios comenzó el proceso de restauración con un hombre llamado Abraham.

Nuestro Dios es experto en lidiar con el caos, con el quebranto, con todo lo peor que podemos imaginar. Dios creó el cosmos a partir del caos, y él puede hacerlo otra vez, puede hacerlo ahora en nuestra vida a nivel personal y a nivel mundial en la vida de las naciones.

💬 Desmond Tutu (1931), clérigo y pacifista sudafricano

39

SECCIÓN UNO:
PREGUNTAS

1 ¿Por qué crees en lo que crees? Considera las personas, circunstancias o lugares que te han influenciado.

2 ¿Alguna vez tus experiencias personales te han llevado a dudar o cambiar tus creencias?

3 ¿Por qué el pecado es un problema para Dios?

....

....

....

....

....

....

....

....

....

....

....

Todas las personas experimentan mucho más de lo que pueden entender. Sin embargo, es la experiencia antes que el conocimiento lo que influencia el comportamiento.

💬 Marshall McLuhan (1911-1980), profesor canadiense de literatura inglesa

SECCIÓN DOS:
LAS PROMESAS DE DIOS

La historia de Abraham comienza alrededor del año 1876 A.C., mucho antes de Jesús o el profeta Mahoma, mucho antes de Moisés y los Diez Mandamientos. Abraham era un hombre de riqueza e influencia. Tenía tierras, ganado y sirvientes. Pero no tenía un hijo, un heredero, lo cual era de suma importancia en su cultura. Abraham hubiera cambiado todas sus riquezas por un hijo. Por esa razón, cuando Dios le pidió abandonar su tierra, lo hizo sin objeción.[1]

Abraham no era un hombre perfecto. De hecho, tenía grandes defectos. Génesis registra que mintió y engañó. A veces su fe en Dios era inestable. Nunca sabremos por qué Dios eligió a Abraham. Pero sí sabemos que Dios no esperó a que llegase un hombre perfecto antes de tomar el primer paso para restaurar su relación con la humanidad.

La interacción de Dios con Abraham comenzó con tres promesas.

> Promesa 1
> Haré de ti una nación grande.
> Génesis 12:2

Esta promesa fue incomprensible para Abraham. Él era un anciano en ese entonces. Su esposa, Sara, había pasado la edad de procrear y no tenían hijos. Dios no se limitó a prometerle un hijo a Abraham. ¡Le prometió que de él vendría toda una nación! Y eso es exactamente lo que sucedió. Israel, junto con varios países árabes, reconocen a Abraham como su padre.

> Promesa 2
> Y te bendeciré;
> haré famoso tu nombre.
> Génesis 12:2

Esto también ocurrió. Lo más probable es que ya habías escuchado sobre Abraham antes de unirte a este grupo. ¿Has escuchado

La mejor forma de descubrir si puedes confiar en alguien es confiando.

💬 Ernest Hemingway
(1899-1961), escritor y periodista estadounidense

1 Génesis 12:1, 4

hablar de Zóar? ¿Del rey Quedorlaomer? Esos nombres desaparecieron una o dos generaciones después de su tiempo. Pero todos hemos escuchado sobre el nómada llamado Abraham.

La tercera promesa que Dios le hizo a Abraham se enlaza con nuestra era moderna.

> Promesa 3
> ¡Por medio de ti serán bendecidas todas las familias de la tierra!
> Génesis 12:3

Esa es una gran promesa. No solamente el mundo conocería el nombre de Abraham, sino que el mundo sería «bendecido» mediante él. Literalmente, el mundo sería mejor gracias a Abraham. Hubiese sido diferente si Dios le hubiese prometido que el pueblo de la nación descendiente de Abraham sería bendito mediante él. Pero la promesa era más grande. Mucho más grande. Todo sector del planeta, de alguna manera, sería bendecido por medio de Abraham.

Todo hombre, mujer y niño judío han sido bendecidos por medio de Abraham. Los musulmanes le tienen en alta estima. Todas las personas en países árabes que trazan su linaje a Abraham se consideran, sin duda alguna, bendecidas por medio de él. Los cristianos de muchas generaciones han creído que fueron bendecidos por medio de Abraham. Consideremos ahora toda persona que ha sido bendecida directa o indirectamente por el trabajo, los escritos, los descubrimientos, los inventos, la atención médica, la caridad y las relaciones personales con las comunidades judías, musulmanas y cristianas. Es mucha gente, es todo el mundo.

Confiar en Dios completamente significa tener fe de que él sabe lo que es mejor para tu vida. Tienes la esperanza de que cumpla sus promesas, te ayude con tus problemas y haga hasta lo imposible cuando sea necesario.

💬 Rick Warren (1952), pastor y escritor estadounidense

43

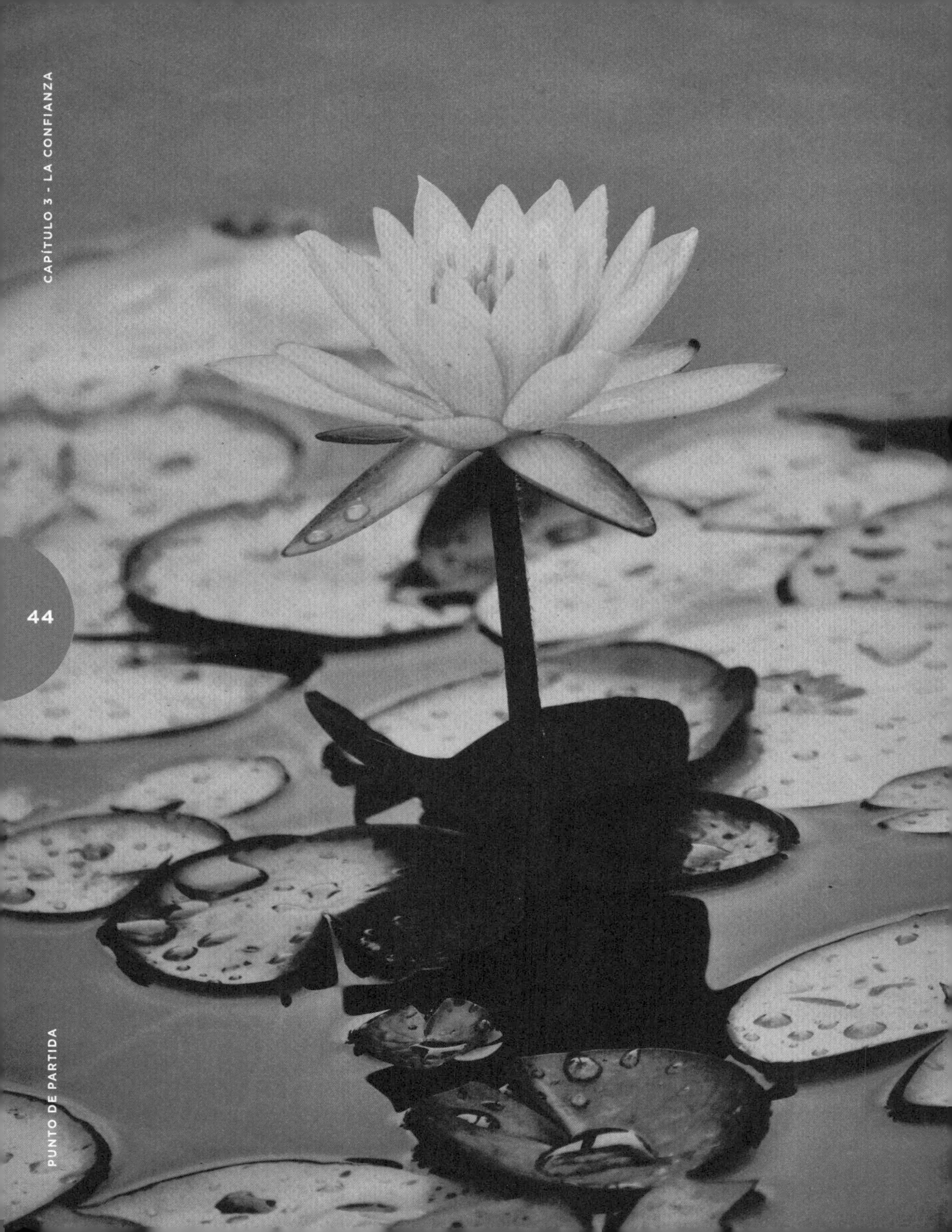

SECCIÓN DOS:
PREGUNTAS

1 ¿Crees que para Abraham fue difícil creer en las promesas de Dios?

2 ¿Qué piensas del hecho que Dios escogiese a alguien tan imperfecto como Abraham?

3 Si pudieras escoger, ¿qué te gustaría que Dios te prometiera?

Sé que el amor es en definitiva la única respuesta a los problemas de la humanidad. . .

● Martin Luther King Jr. (1929-1968), pastor afroestadounidense y activista, líder del movimiento de los derechos civiles

SECCIÓN TRES:
FE RECOMPENSADA

Abraham no sabía cómo estas promesas se habrían de cumplir. Por lo tanto, hizo lo que cualquiera de nosotros haría. Se preocupó. Abraham y Sara todavía estaban a la espera de un hijo. Sin un heredero varón, el criado de Abraham, Eliezer, heredaría todo. El escritor de Génesis nos cuenta cómo Dios le habló a Abraham en una noche donde le agobiaban estas preocupaciones.

> —¡No! Ese hombre no ha de ser tu heredero —le contestó el Señor—. Tu heredero será tu propio hijo. Luego el Señor lo llevó afuera y le dijo: —Mira hacia el cielo y cuenta las estrellas, a ver si puedes. ¡Así de numerosa será tu descendencia!
> Génesis 15:4-5

Estas alentadoras palabras, no cambiaban el hecho de que Abraham y Sara eran ancianos y no tenían hijos. Abraham se enfrentó a la decisión de creer o no creer que Dios mantendría esta increíble promesa. Su dilema marca el contexto para una de las declaraciones más importantes que existe en las Escrituras. Una declaración y aclaración respecto al punto de partida para la relación de la humanidad con Dios.

> Abram creyó al Señor, y el Señor lo reconoció a él como justo.
> Génesis 15:6

Justo en este caso se refiere a rectitud. Abraham fue considerado un hombre recto, sin injusticia y sin falta. Sería difícil atribuirse el título de hombre recto, justo y sin falta puesto que nuestro comportamiento debería ser intachable. ¿Entonces cómo es que Abraham adquirió un título de nobleza y rectitud? Esa es una pregunta importante. Familias enteras se han dividido y se han librado guerras por esa pregunta. ¿Qué significa que el Señor lo reconoció como un hombre recto?

Las promesas de Dios son como las estrellas; cuanto más negra sea la noche, brillan con más fuerza.

● David Nicholas (1991), ciclista australiano quien ganó medallas de oro y plata en los Juegos Paralímpicos de 2012

A medida que la historia de la salvación continúa desarrollándose en la Biblia, la respuesta a esa pregunta se vuelve cada vez más clara. A Abraham se le dieron los mismos derechos y privilegios para con Dios que un hombre perfectamente recto ganaría mediante sus actos de justicia. En vez de ser recto delante de Dios a través de acciones, Abraham fue reconocido como recto en respuesta a su fe. Mucho antes de que los Diez Mandamientos le fuesen revelados a la humanidad, Abraham recibió «una medalla de rectitud», no por lo que había hecho —era un pecador como todos los demás— sino porque tuvo fe y le creyó a Dios.

Dos mil años más tarde, el apóstol Pablo haría una conexión entre el acto de fe de Abraham y aquellas personas que buscaban la rectitud delante de Dios.

> Por eso se le tomó en cuenta su fe como justicia. Y esto de que «se le tomó en cuenta» no se escribió sólo para Abraham, sino también para nosotros. Dios tomará en cuenta nuestra fe como justicia [rectitud], pues creemos en aquel que levantó de entre los muertos a Jesús nuestro Señor.
> Romanos 4:22-24

¿Cuál es el punto de Pablo? La misma oportunidad está disponible para ti. El medio es el mismo: una expresión de fe.

Tal vez te resulta difícil concebir que Dios conceda algo tan importante en términos tan simples. Para ser rectos delante de la gente, se requiere que nos comportemos de una manera recta. Más allá de nuestros padres, prácticamente nadie nos extiende ese tipo de aceptación incondicional. ¿Será que Dios nos quiere tratar como un padre?

Cuando contemplamos todo el mundo como una gran gota de rocío, rayada y punteada con islas y continentes, volando por el espacio junto a otras estrellas que cantan y brillan como una sola, todo el universo parece como una tormenta infinita de belleza.

💬 John Muir (1838-1914), botánico y explorador estadounidense

47

48

SECCIÓN TRES:
PREGUNTAS

1 ¿Cómo sabes cuando una persona verdaderamente cree en algo?

2 ¿Qué significa el hecho de que Abraham haya sido reconocido como un hombre recto?

3 ¿Qué crees que Dios requiere para aceptar a alguien?

....

....

....

....

....

....

....

....

....

....

....

....

Dios nos ama a cada uno de nosotros tanto como si existiera solo uno de nosotros.

● San Agustín (354-430), santo, padre y doctor de la iglesia católica

CONCLUSIONES DEL CAPÍTULO 3

- La entrada del pecado en la experiencia humana dejó a Dios con una elección. En vez de alejarse, se metió de lleno en el problema.

- La solución de Dios al problema del pecado comenzó con tres promesas que le hizo a un hombre.

- La misma fe de Abraham está disponible para nosotros y así ser considerados rectos ante los ojos de Dios.

PARA LA PRÓXIMA REUNIÓN:

Lee y responde las preguntas correspondientes al capítulo 4.

En la próxima reunión hablaremos acerca del papel de las reglas en una relación con Dios. Todos tenemos una relación de amor y odio con las reglas. Por un lado, las reglas pueden proporcionar estructura y prevención. Por otro lado, las reglas son restrictivas y todos queremos tener la libertad de hacer lo que queramos, cuando queramos. El problema con las reglas religiosas es que van contra nuestra naturaleza humana y asumimos que cuando no las seguimos, Dios nos rechaza. ¿Qué tan cierto es eso?

En medio de la dificultad yace la oportunidad.

● Albert Einstein (1879-1955), físico alemán

LAS REGLAS

SECCIÓN UNO:
LAS RELACIONES Y LAS REGLAS

Si creciste en un hogar con un estricto apego a la religión o si inclusive asististe a una escuela muy religiosa, entonces es probable que estas experiencias te hayan hecho cuestionar fuertemente la iglesia. Tal vez te sentiste constantemente juzgado. Quizá un grupo religioso te impactó negativamente. Sinceramente, las normas religiosas son contrarias a la naturaleza humana. Y siendo el ser humano que eres, eso es un problema. La inconsistencia en la forma en cómo se aplicaban las reglas pudo haberte dejado con la impresión de que la religión genera hipocresía y de hecho... tienes razón.

En toda religión la gente busca cómo escaparse de las normas más restrictivas. Por ejemplo, muchos católicos han encontrado maneras de justificar el uso de métodos anticonceptivos, aunque el Vaticano se los prohíbe. Solo un porcentaje de musulmanes oran cinco veces al día, aunque su religión lo demanda. Solo un pequeño número de las iglesias evangélicas demuestran la clase de bondad, amor y perdón que supuestamente proclaman con sus Biblias. Diferentes credos enseñan su propia versión de «la regla de oro»: *trata a los demás como quieres que te traten a ti.* Pero todos omitimos esa regla frecuentemente. Sí, la religión parece generar hipocresía.

A pesar de ello, todas las enseñanzas espirituales están de acuerdo con que, a fin de estar en cierta paz con Dios, necesitamos cumplir ciertas reglas. La fe y la conducta son fundamentales en todas las grandes religiones. La obediencia determina si eres un buen musulmán, cristiano, budista o judío; las reglas definen la conducta correcta e incorrecta dentro de un sistema espiritual.

Dentro de este marco de reglas, hay algo que

> **La sumisión no es una cuestión de autoridad y no es una cuestión de obediencia; es una cuestión de entablar relaciones de amor y respeto.**
>
> 💬 William Paul Young
> (1955), autor canadiense de
> *La cabaña*

quizá no habías considerado anteriormente: *las reglas siempre asumen que existe algún tipo de relación.* Si eres padre, estableces reglas para *tus* hijos. Es como si tu vecino te llamara para ver si tus hijos hicieron la tarea, ¿no tiene sentido verdad? Tu vecino no puede establecer reglas para *tus* hijos. Son tus hijos. Los hijos de una persona pasan a ser suyos aún antes de crear la primera regla como papás. La relación precede a las reglas en un *modelo familiar.*

La familia no es el único modelo. Hay un modelo *tipo membresía.* Cuando te unes a un gimnasio, un equipo de fútbol, una asociación o un club de golf, debes firmar un contrato donde se estipula que estás de acuerdo con el cumplimiento de las normas. Al estar de acuerdo con las reglas, y al seguirlas, se establece la relación. En este acuerdo, romper las reglas puede resultar en la terminación de la relación.

¿Cuál de los modelos anteriores refleja tu percepción entre las reglas y la religión? ¿Es el *modelo de familia,* donde desobedecer las reglas te trae como consecuencia un castigo, pero no necesariamente una expulsión? ¿O es más bien como el *modelo de membresía,* donde debes estar de acuerdo con las reglas para entrar y si no las cumples, debes abandonar el grupo? Tu respuesta describe la forma en la cual percibes a Dios y la forma en la cual asumes que él te percibe a ti.

No camines detrás de mí; puede que no te guíe. No camines delante de mí; puede que no te siga. Solo camina a mi lado y sé mi amigo.

💬 Albert Camus (1913-1960), filósofo y autor francés

SECCIÓN UNO:
PREGUNTAS

1 En general, ¿cómo reaccionas a las reglas? ¿Cuáles son las reglas que más te cuestan seguir?

2 ¿Cuáles eran las reglas más importantes que debías obedecer en tu niñez? ¿Cuáles reglas siguen siendo importantes para ti?

3 ¿Cuál fue tu experiencia religiosa? ¿Se basaba en un «modelo familiar» o un «modelo de membresía»?

....

....

....

....

....

....

....

....

....

....

Las buenas personas no necesitan leyes que les digan que actúen de forma responsable, mientras que las personas malas encontrarán la forma de evadir las leyes.

● Platón (427-347 a.C.), filósofo griego y seguidor de Sócrates

SECCIÓN DOS:
LAS REGLAS DE DIOS

Los Diez Mandamientos son sin duda la lista de reglas más famosas que se haya escrito. Casi todas las personas en la civilización occidental están familiarizadas con los Diez Mandamientos. Pero muy pocos pueden enumerarlos.

Los Diez Mandamientos fueron enseñados al antiguo Israel unos mil quinientos años antes del nacimiento de Jesús y unos dos mil años antes del nacimiento de Mahoma. Lo más significativo de los Diez Mandamientos no son los mandamientos en sí. En muchos sentidos, son bastante ordinarios. Prohíben el adulterio, el asesinato y el robo. No hay nada demasiado sorprendente. Lo que los hace importantes para nuestros propósitos es *a quiénes* se les revelaron, *por qué* se les revelaron y *cuándo* se les revelaron.

En el capítulo 3 hablamos acerca de cómo Dios le dio una promesa a Abraham. Al pasar el tiempo, Abraham y Sara tuvieron un hijo, Isaac. Isaac tuvo a Jacob. Jacob tuvo doce hijos, cuyas familias se convirtieron en grandes tribus, las cuales llegaron a ser conocidas colectivamente como el pueblo hebreo. Con el fin de escapar de una hambruna devastadora, los hijos de Jacob y sus familias emigraron a Egipto. Con el paso del tiempo, estos hebreos fueron esclavizados por un faraón. Durante cuatrocientos años, el pueblo hebreo sufrió el maltrato de los capataces egipcios. Luego, cerca del año 1446 antes de Cristo, Moisés sacó de Egipto a la recién nación de Israel, con destino de vuelta a la tierra de Abraham. Durante ese viaje Dios le reveló a Israel sus mandamientos.

Puede que no todos rompamos los diez mandamientos, pero ciertamente todos somos capaces de hacerlo.

● Isadora Ducan
(1877-1927), bailarina y coreógrafa estadounidense

Los Diez Mandamientos se encuentran en el libro de Éxodo en el Antiguo Testamento. Este documento antiguo cuenta la historia de la liberación de Israel de la esclavitud egipcia. Unos tres meses después de haber sido liberada de sus opresores, la nación acampó al pie del Monte Sinaí. Moisés subió a la montaña y permaneció allí durante más de un mes. Cuando regresó, trajo consigo la ley de Dios para Israel.

La secuencia de estos eventos es importante. Nos proporciona una valiosa información sobre la conexión entre las reglas de Dios para la nación y su relación con su pueblo. ¿Cuál fue primero, la relación o las reglas? Si la respuesta a esa pregunta no queda clara considerando la secuencia de eventos, sin duda queda clara considerando lo que encontramos en los mandamientos.

La mayoría de la gente se sorprende al descubrir que los Diez Mandamientos no empiezan con un mandamiento. Esta fue la frase inicial:

> Dios habló, y dio a conocer todos
> estos mandamientos: Yo soy el
> Señor tu Dios....
> Éxodo 20:1-2

Dios expresó su relación con la nación antes de decirles lo que requería de ellos. Dios le dio reglas a Israel porque le pertenecían. Él era su Dios y ellos su pueblo. Los Diez Mandamientos eran la confirmación de la relación de Israel con Díos. La segunda parte de la declaración dice lo siguiente:

> Yo soy el Señor tu Dios. Yo te saqué
> de Egipto, del país donde eras
> esclavo.
> Éxodo 20:2

En otras palabras, *yo soy el Señor, tu Dios, que hizo algo tremendamente significativo para ti sin pedirte nada a cambio*. Tres meses atrás eran una nación sin esperanza y sin futuro. Ahora eran libres. Y no habían hecho nada para merecerlo. Después de definir y afirmar su relación, Dios expresó su primer mandamiento:

> No tengas otros dioses
> además de Mí.
> Éxodo 20:3

Después de haber demostrado que era digno de su confianza, Dios le pidió a la nación fe y confianza absoluta; que lo vieran como su máxima autoridad y proveedor. Dios no le dio reglas a Israel como una condición para establecer una relación. Desde el primer momento, Dios adoptó el *modelo de familia*. El pueblo de Israel eran sus hijos. Él era su Padre.

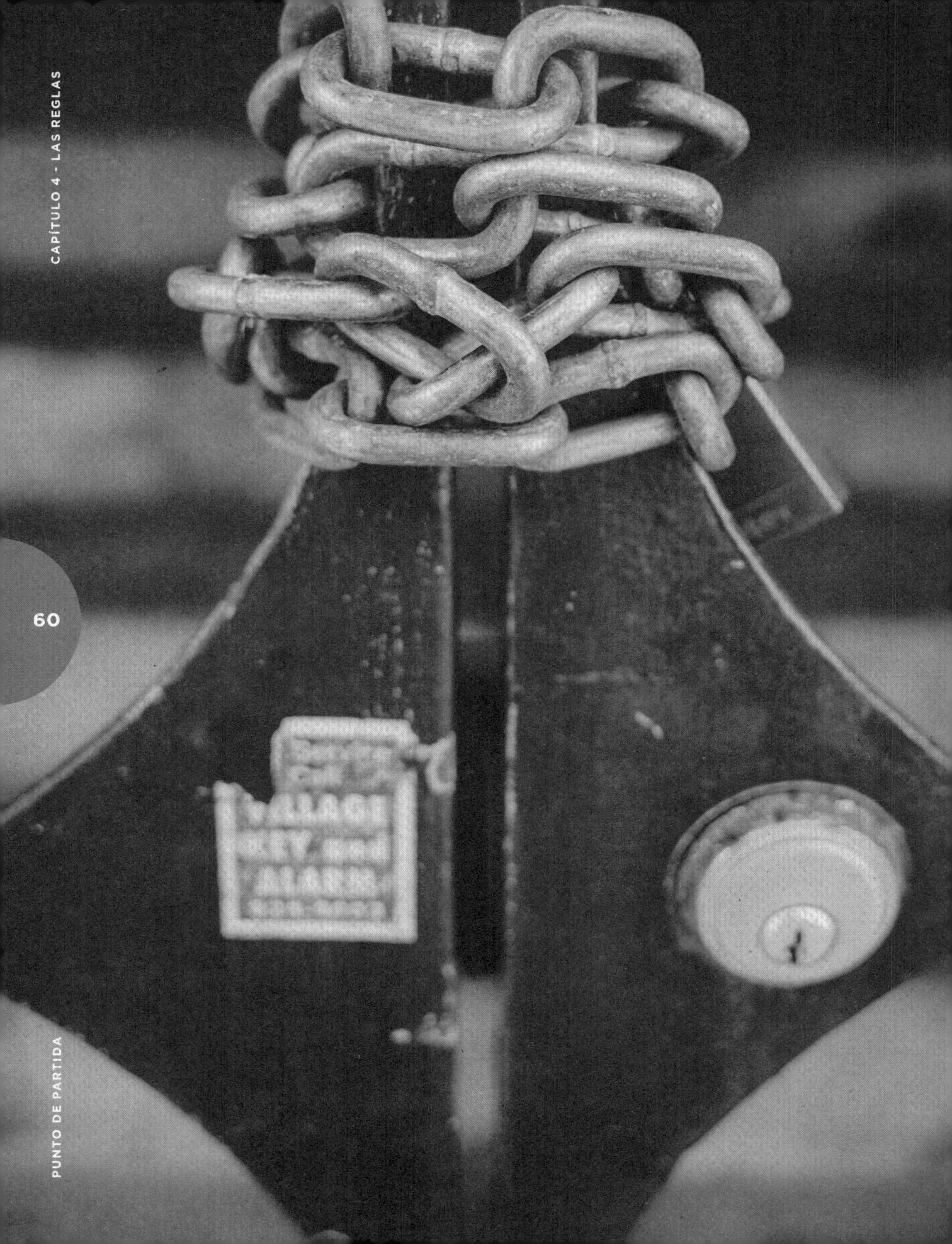

SECCIÓN DOS:
PREGUNTAS

1 ¿Qué valor tienen los Diez Mandamientos en la actualidad?

2 ¿Habías considerado que Dios ya tenía una relación con el pueblo de Israel antes de entregarles los Diez Mandamientos? ¿Qué piensas de esto?

3 ¿Cuáles reglas crees que son más importantes para Dios?

Donde no hay ley, sino que cada uno hace lo que es recto ante sus propios ojos, es donde yace la menor cantidad de verdadera libertad.

● Henry M. Robert (1837-1923), autor de *Las reglas de orden de Robert*

SECCIÓN TRES:
TU PAPEL

Dios amó a Abraham. Dios amó a Israel. Pero, ¿no sería presuntuoso asumir que Dios siente lo mismo por ti? La relación precedió a las reglas con Abraham e Israel, pero tal vez Dios tenga favoritos. Tal vez con todos los demás Dios optó por el *modelo de membresía*: «Te comportas o estás fuera».

El propósito de Dios en la elección de Abraham como el punto de partida de una nueva nación, tenía la intención de bendecir al mundo entero. Más adelante, el profeta Isaías haría eco de esa idea cuando escribió acerca de Israel:

> Yo te pongo ahora como luz para las naciones, a fin de que lleves mi salvación hasta los confines de la tierra.
> Isaías 49:6

El plan de Dios, iniciado con Abraham, siempre incluyó a todas las naciones de la tierra. ¡Su plan te incluía a ti! Por lo tanto, no debería sorprendernos que cuando Jesús vino al mundo mil quinientos años después, extendió la oferta de salvación de Dios más allá de las fronteras de Israel. El apóstol Juan declaró la intención de Jesús de esta manera:

> Mas a cuantos lo recibieron, a los que creen en su nombre, les dio el derecho de ser hijos de Dios.
> Juan 1:12

¿Leíste las últimas tres palabras? «Hijos de Dios». No «miembros», ¡hijos!

Un Dios infinito puede dar todo de sí a cada uno de sus hijos. No se distribuye a sí mismo de forma tal que cada uno tenga una parte, sino que a cada uno le da todo de sí tan plenamente como si no hubiese nadie más.

💬 A. W. Tozer (1897-1963), pastor, escritor y conferencista estadounidense.

Necesitamos un nuevo tipo de relación con el Padre que elimine nuestro miedo, desconfianza, ansiedad y culpa, que nos permita sentir esperanza y gozo, compasión y confianza.

💬 Brennan Manning (1934-2013), autor, sacerdote y conferencista estadounidense

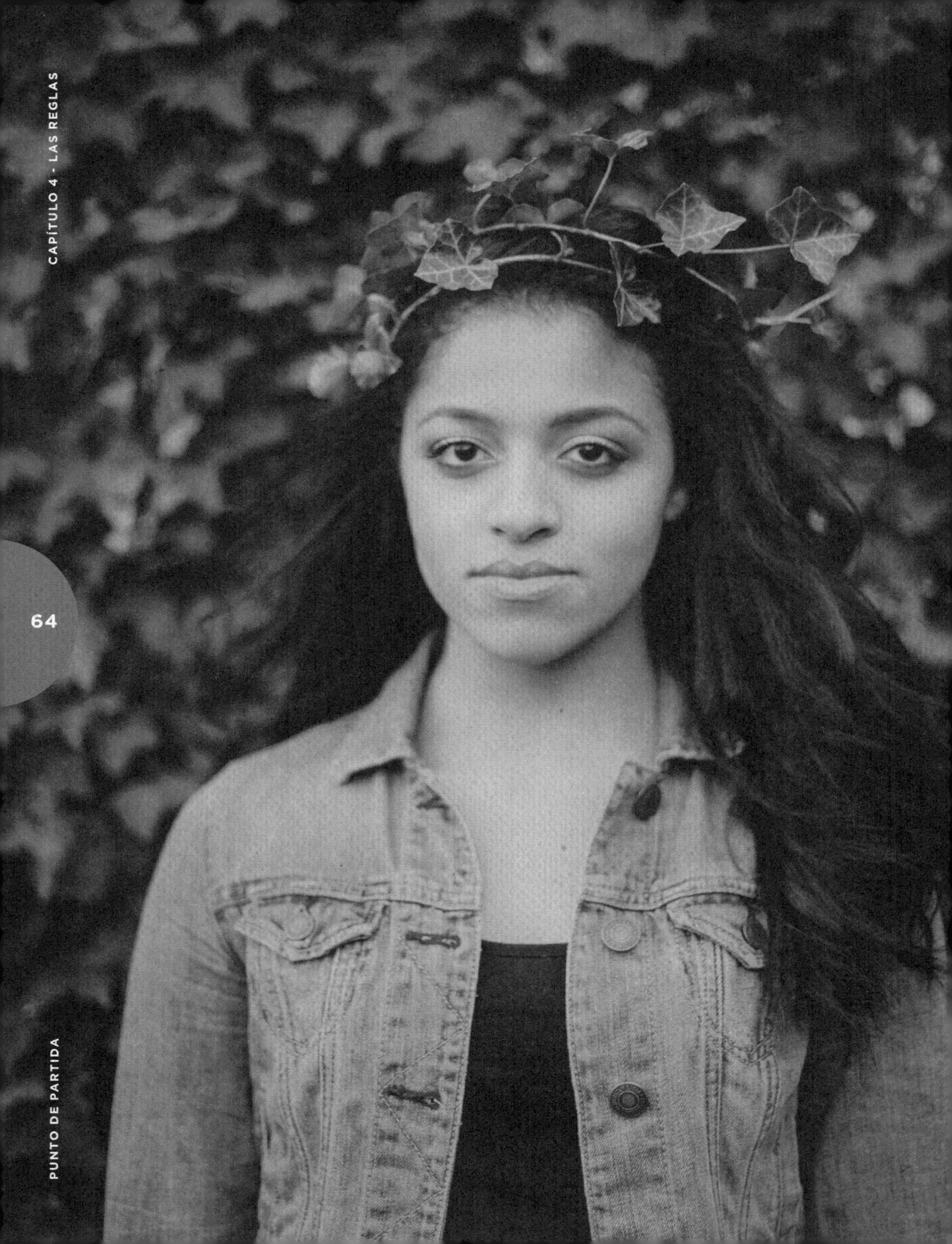

SECCIÓN TRES:
PREGUNTAS

1 ¿Existe una conexión entre la forma en la cual Dios aceptó a Abraham, la forma en que aceptó a Israel y la forma como nos acepta a nosotros?

2 ¿Es más fácil ver a Dios como un creador de reglas o como un padre que establece límites?

3 ¿Qué cambiaría si realmente te vieses a ti mismo como un *hijo de Dios*?

Dios se nos revela, no en una formulación metafísica o en un despliegue de fuegos artificiales cósmicos, sino en la clase de historias que utilizamos para decirle a nuestros hijos quiénes son y cómo crecer como seres humanos.

● Eugene Peterson (1932), autor estadounidense de la Biblia contemporánea *The Message*

CONCLUSIONES DEL CAPÍTULO 4

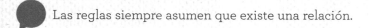 Las reglas siempre asumen que existe una relación.

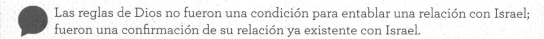 Las reglas de Dios no fueron una condición para entablar una relación con Israel; fueron una confirmación de su relación ya existente con Israel.

 Desde un principio Dios nos incluyó en el plan que comenzó con Abraham.

PARA LA PRÓXIMA REUNIÓN:

Lee y responde las preguntas correspondientes al capítulo 5.

Encontrar el perdón de los pecados es, con frecuencia, el punto de partida de la fe personal. En la próxima reunión hablaremos sobre el papel del perdón personal en tu vida espiritual y el papel de Jesús en nuestro aprendizaje sobre perdonar a otros.

Es después de haber comprendido que hay una verdadera Ley Moral y un Poder detrás de la ley, y tras haber comprendido que rompiste esa ley y quedaste mal con ese poder; es después de todo esto, y no un momento antes, que el cristianismo comienza a hablar.

C. S. Lewis (1898-1963), apologista y novelista británico, autor de *Las crónicas de Narnia*

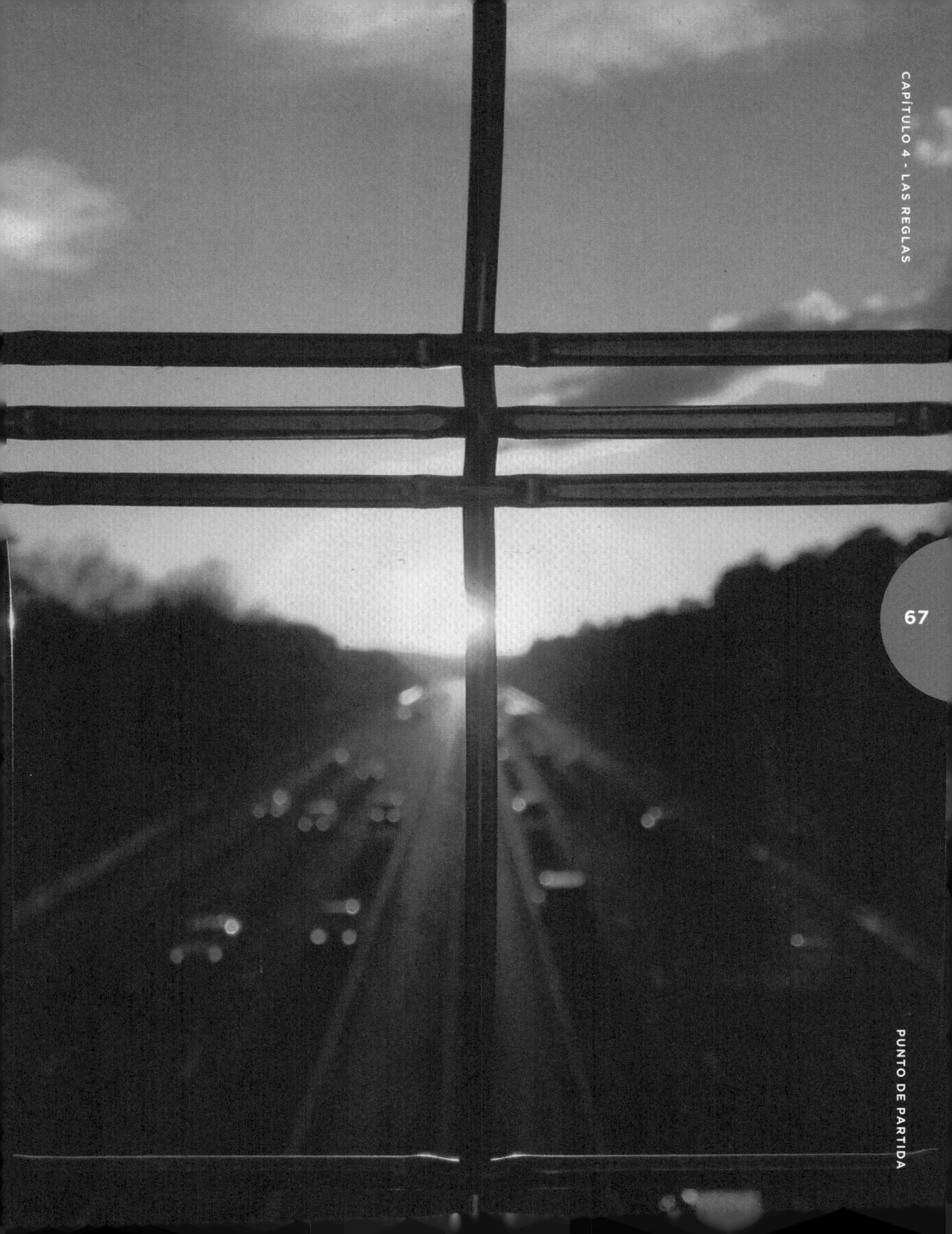

JESÚS

SECCIÓN UNO:
BUSCANDO EL PERDÓN

A la mayoría de las personas les sucede: hay un capítulo en su vida que les gustaría borrar o que les gustaría volver a vivir para cambiarlo. Tal vez fue algo acontecido en la adolescencia. Quizá una reciente relación. Todos hemos tomado malas decisiones; algunas veces al mirar atrás nos causan risa, pero la mayoría cargamos recuerdos llenos de vergüenza y remordimiento. No puedes cambiar el pasado; entonces, ¿qué haces respecto a tus acciones del pasado o a tus acciones que en el presente deseas cambiar?

La gente a menudo toma decisiones inmaduras porque en comparación a las malas decisiones de otras personas, no parecen tan graves. Al darte cuenta de lo que hiciste, te sientes mal *por un tiempo*. Luego llega el razonamiento de «bueno, nadie es perfecto». Ciertamente no quita la vergüenza ni alivia la culpabilidad. Las excusas y las explicaciones son como las aspirinas; proporcionan un alivio temporal, pero con el tiempo el dolor regresa. Los mecanismos de supervivencia nos ayudan a hacer frente a la vida, pero no lavan nuestro pasado. Y a fin de cuentas, eso es lo que necesitamos. Lavar nuestros errores... nuestro pecado.

Tal vez los párrafos anteriores han evocado recuerdos ocultos en los recovecos de tu mente. ¿Cuál es la razón de traerlos a la superficie? He aquí la respuesta. Al avanzar en tu caminar espiritual a veces habrás de mirar atrás. Si bien puede ser incómodo, también puede ser liberador. Excavar en la vergüenza y en el remordimiento puede conducirte a una experiencia que potencialmente puede avivar tu fe. Experimentar el perdón por el pecado es con frecuencia el *punto de partida* de un nuevo caminar espiritual.

La culpa es quizá la compañera más dolorosa de la muerte.

💬 Coco Chanel (1883-1971), diseñadora francesa

Perdonar es liberar a un prisionero y descubrir que el prisionero eras tú.

💬 Lewis B. Smedes (1921-2002), autor y teólogo cristiano estadounidense

SECCIÓN UNO:
PREGUNTAS

1 ¿Desearías poder hacer algo de nuevo? De ser así, por favor explica tu respuesta.

2 ¿Estás de acuerdo con la idea de que necesitas perdonarte a ti mismo? ¿Por qué sí o por qué no?

3 ¿Consideras que necesitas perdón? ¿Por qué sí o por qué no?

Aceptar la realidad de nuestro pecado significa aceptar nuestro ser auténtico.

💬 Brennan Manning (1934-2013),
autor, sacerdote y conferencista estadounidense

SECCIÓN DOS:
EL MESÍAS

En el primer siglo, Juan el Bautista impactó a la región de Judea predicando y bautizando. Juan el Bautista es mencionado fuera de la Biblia en el Corán y en los escritos de Josefo, un historiador judío. El mensaje de Juan era severo. Sin embargo, miles acudieron al río Jordán para escucharlo.

Muchos creían que Juan era el tan esperado Mesías judío. Pero él rechazó ese título. En cambio, dijo ser precursor de aquel a quien Dios enviaría. Su papel era preparar a Israel para los eventos futuros. A él solo le tocó abrir el concierto, por así decirlo.

> Yo bautizo con agua, pero entre ustedes hay alguien a quien no conocen, y que viene después de mí, al cual yo no soy digno ni siquiera de desatarle la correa de las sandalias.
> Juan 1:26-27

Una tarde, mientras bautizaba en el río Jordán, Juan levantó la vista y vio a Jesús esperando su turno. La respuesta de Juan fue asombrosa. Desafiando mil quinientos años de sagrada tradición judía, él declaró:

> ¡Aquí tienen al Cordero de Dios, que quita el pecado del mundo!
> Juan 1:29

Esta declaración tiene profundas implicaciones y por lo tanto requiere una explicación detallada.

Cuando Moisés bajó del Monte Sinaí con la ley, los hijos de Israel descubrieron que Dios había incluido una cláusula sobre el pecado. Cuando un israelita pecaba, estaba obligado a sacrificar un animal. Este era un recordatorio sangriento y doloroso del costo del pecado y de la necesidad del perdón. Nadie consideraba la sangre de un animal como de igual valor a la sangre de un ser humano. Pero de acuerdo a la ley judía, la sangre de un animal era suficiente. Los sacrificios debían hacerse continuamente. No había ningún sacrificio final por el pecado.

Con este marco, consideremos la gravedad de la declaración de Juan cuando señaló a Jesús y dijo: «Aquí tienen al Cordero de Dios»; literalmente, Dios proveyó un cordero para nosotros. Este Cordero, este hombre, «quitaría» el pecado del mundo... para siempre. Pero no solo el pecado de los judíos. Juan lo tenía claro. Jesús llevaría los pecados de todo el mundo. El pecado judío. El pecado romano. El pecado de todos. Tu pecado.

Nadie entendió el significado de la declaración de Juan en ese día. Pero hacia el final del ministerio de Jesús, las palabras de Juan cobraron sentido. Jesús no había venido para quitar los pecados del mundo de una manera simbólica. Él era el Cordero sacrificial de Dios quien, literalmente, tomaría sobre sí los pecados de la humanidad. Mediante su muerte voluntaria, se levantaría y se llevaría los pecados del mundo, en un magno sacrificio final.

En la noche de su arresto, Jesús se reunió con sus apóstoles para celebrar la Pascua. Durante la comida, Jesús dijo algo que sorprendió y tal vez ofendió a los asistentes. Los judíos llevaban unos mil quinientos años celebrando la cena de Pascua. Sus raíces datan a la noche previa de la salida de Egipto. El día de independencia de Israel. Dios instruyó a los israelitas a tomar la sangre de un cordero y pintar con ella en los marcos de sus casas. La muerte pasaría de largo de las casas marcadas con la sangre de un cordero.

Mientras Jesús partía el pan y el vino y lo distribuía a quienes le acompañaban, les dijo que a partir de esa noche, cuando se reuniesen para la Pascua, celebrarían algo más que la conmemoración ancestral de su independencia de Egipto.

> También tomó pan y, después de dar gracias, lo partió y les dijo: «Este pan es mi cuerpo, entregado por ustedes; hagan esto en memoria de mí». De la misma manera tomó la copa después de la cena, y dijo: «Esta copa es el nuevo pacto en mi sangre, que es derramada por ustedes».
> Lucas 22:19-20

A partir de esa noche, el vino representaría su sangre, la cual pronto sería derramada en nombre de la humanidad. El pan representaría su cuerpo, que en unas pocas horas sería quebrantado por ellos. Jesús estaba haciendo una declaración desmesurada. Ya había sacudido el statu quo cuando afirmó su autoridad para perdonar el pecado. Ahora estaba afirmando que él era el sacrificio por el pecado.

Al día siguiente, cuando Jesús exhaló su último aliento colgado en la cruz, sus seguidores creían estar presenciando un final trágico y confuso. Pero Jesús había predicho su propia muerte como el sacrificio necesario para el pecado. Su muerte fue el sacrificio final del «Cordero» de Dios.

Si Jesucristo era quien dijo ser y murió en la cruz en ese preciso punto en la historia, entonces es relevante para toda la historia presente y futura, porque ese fue un punto de gran importancia para la redención y el perdón.

💬 Josh McDowell (1939), historiador y escritor cristiano estadounidense

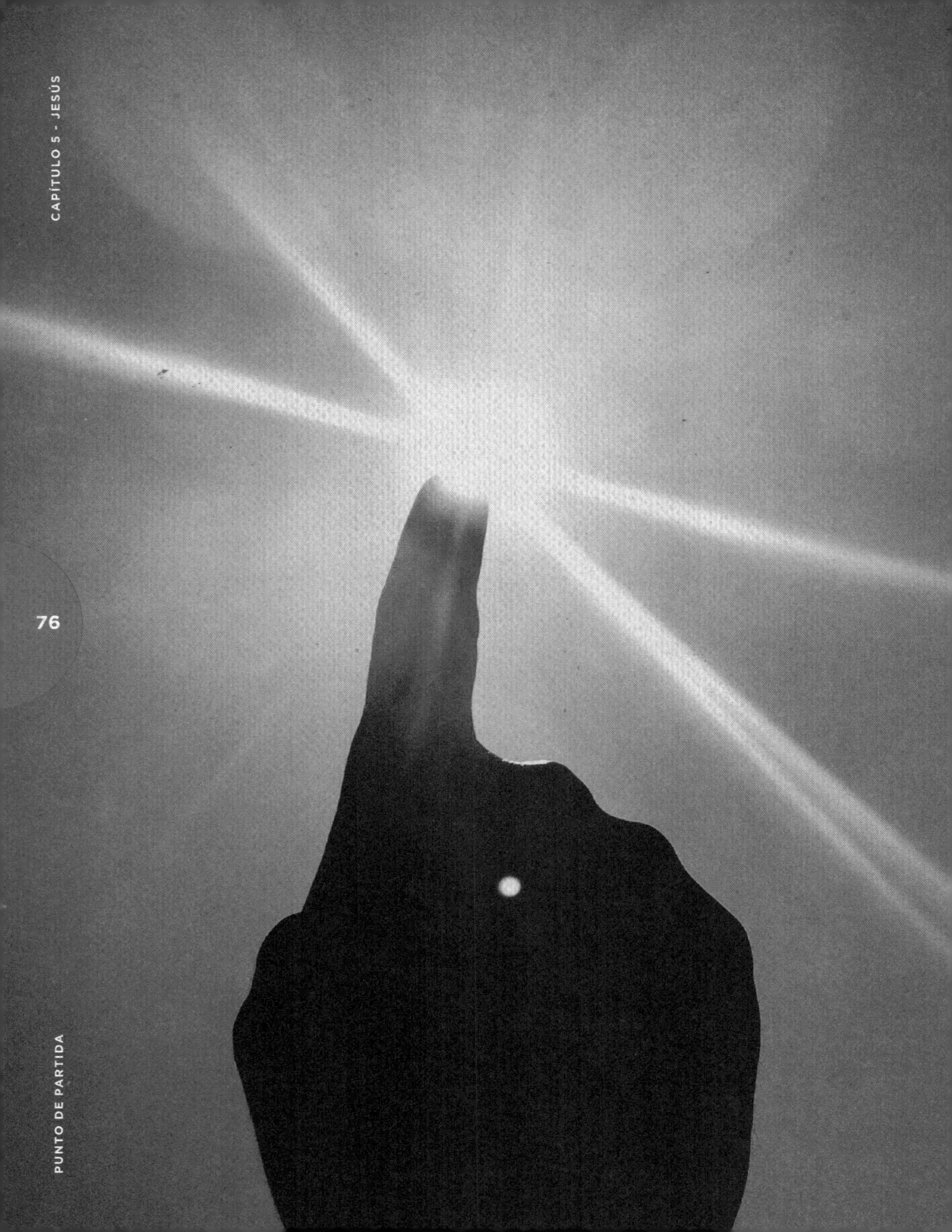

SECCIÓN DOS:
PREGUNTAS

1 ¿Cuál es la importancia del título «el Cordero de Dios»?

2 Según el texto, ¿cuál es la conexión de Jesús con nuestra necesidad de perdón?

3 ¿Por qué fue necesaria la muerte de Jesús? ¿Por qué no pudo simplemente otorgarnos el perdón sin necesidad de sufrir una muerte tan cruel?

....
....
....
....
....
....
....
....

La salvación no fue comprada por el puño de Jesús, sino por sus manos atravesadas con clavos; no por el músculo, sino por el amor; no por la venganza, sino por el perdón; no por la fuerza, sino por el sacrificio.

● A. W. Tozer (1897-1963),
pastor, escritor y conferencista estadounidense.

SECCIÓN TRES:
SOLO UNA PERSONA

Jesús es el Cordero de Dios quien quitó el pecado del mundo; eso creen los cristianos. Deberías considerarlo como una gran noticia para ti. ¿Por qué? *Porque ya no tienes que ganarte el perdón; ya has sido perdonado.*

El pecado que has tratado de compensar ya ha sido pagado y redimido. Ocurrió hace dos mil años, cuando el Cordero de Dios quitó el pecado del mundo. El pecado de todo el mundo. Todo pecado, incluyendo el tuyo.

Unos 20 años después de la crucifixión de Jesús, el apóstol Pablo describió el significado de ese trágico y glorioso evento de la siguiente manera:

> ...Al perdonarnos todos los pecados y anular la deuda que teníamos pendiente por los requisitos de la ley. Él anuló esa deuda que nos era adversa, clavándola en la cruz.
> Colosenses 2:13-14

Por medio de Cristo, Dios ha cancelado tu deuda de pecado. Al depositar tu fe en Cristo, tu pecado es perdonado. Tu deuda es cancelada. No le debes a Dios y no estás en deuda contigo mismo. Mientras otros sistemas de fe requieren que te ganes el perdón, Pablo propone que ya está ganado. Dios hizo lo que tú no podías hacer. Jesús tomó tu pecado y se lo llevó. Dios ha puesto el regalo del perdón a disposición de todos. Como todo regalo, es tu decisión aceptarlo o rechazarlo.

Toda religión ofrece una respuesta a la pregunta de qué debemos hacer cuando no podemos perdonarnos a nosotros mismos. Pero solo una persona en la historia se ofreció *a sí mismo* como respuesta a esa pregunta.

Antes de que comencemos a ver la cruz como algo hecho para nuestra causa, tenemos que verla como algo hecho por causa nuestra.

💬 John R. W. Scott
(1921-2011), presbítero anglicano inglés del movimiento evangélico mundial

Las palabras de Jesús, «Perdónalos porque no saben lo que hacen», también se aplican a ti.

💬 Eckhart Tolle (1948), escritor y conferencista alemán de Nueva Era

SECCIÓN TRES:
PREGUNTAS

1 Según esta sección, ¿qué requieres hacer para recibir el regalo del perdón de Dios?

2 ¿Cómo te sientes al saber que tu pecado ya ha sido pagado?

3 ¿Qué te impide aceptar el perdón de Dios por medio de Cristo?

Creo que si Dios nos perdona debemos perdonarnos a nosotros mismos. De otra forma, es como si nos sometiésemos a un tribunal más alto que él.

● C. S. Lewis (1898-1963),
autor británico de *Las crónicas de Narnia*

CONCLUSIONES DEL CAPÍTULO 5

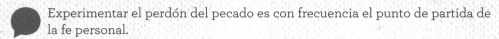 Experimentar el perdón del pecado es con frecuencia el punto de partida de la fe personal.

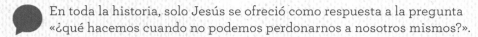 En toda la historia, solo Jesús se ofreció como respuesta a la pregunta «¿qué hacemos cuando no podemos perdonarnos a nosotros mismos?».

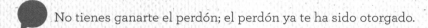 No tienes ganarte el perdón; el perdón ya te ha sido otorgado.

PARA LA PRÓXIMA REUNIÓN:

Lee y responde las preguntas correspondientes al capítulo 6.

En la próxima reunión examinaremos la gracia. En la vida cotidiana, la gracia es radical, porque vemos la vida como una historia donde uno recibe lo que se merece, ya sea bueno o malo. Pero la gracia es algo distinto. Es recibir lo inmerecido. Y es clave para nuestra relación con Dios.

Soy un pecador notable, pero he clamado al Señor por gracia y misericordia, y me ha cubierto por completo. He encontrado el consuelo más dulce desde que hice mi propósito supremo disfrutar de su maravillosa presencia.

● Cristóbal Colón (1436-51 – 1506), navegante italiano, cartógrafo, almirante, virrey y gobernador general

LA
GRACIA

SECCIÓN UNO:
FALLA EN EL SISTEMA

Vivimos en un mundo que recompensa el desempeño. Está arraigado en nosotros desde una edad temprana. Responde a las preguntas del examen de forma correcta y te dan la mejor calificación. Anota un punto menos en el juego y pierdes el campeonato. Gradúate con un buen promedio en la universidad y conseguirás un buen trabajo. Haz bien tu trabajo y recibirás un ascenso. Claro, no siempre funciona de esa manera, pero no lo podemos negar: el desempeño tiene una gran importancia en nuestra sociedad.

Esta orientación hacia el desempeño tiene el potencial de moldear nuestras suposiciones acerca de Dios. Cuando las personas describen cómo obtener el favor de Dios, mencionan una serie de comportamientos; un desempeño religioso. Si casi todos los aspectos de la vida funcionan de esa manera, ¿no es lo mismo con Dios? ¿Tal vez la relación de causa y efecto entre nuestro desempeño y nuestro valor es el reflejo de algún diseño divino?

Aunque sería fácil hacer esa suposición, hay excepciones a la regla. Si un estudiante reprueba un examen por unos pocos puntos,

el profesor puede asignarle un proyecto para mejorar su calificación. Un vendedor hace una presentación de ventas poco convincente, pierde una cuenta, y su jefe decide darle una segunda oportunidad. Un vehículo conducido con toda precaución recibe un choque por detrás, y al conocer las difíciles circunstancias del conductor descuidado, el afectado decide no cobrarle el golpe. De vez en cuando, las personas reciben exactamente lo que no merecen en base a su mal desempeño.

Pero incluso cuando nosotros recibimos el favor inmerecido, sentimos que algo está mal. Es genial no sufrir las consecuencias de nuestros actos, pero también sentimos como si hubiera una falla en el sistema. ¿Las personas deberían recibir su merecido? Es eso lo justo ¿no?

Es absurdo creer sólo en lo que se puede probar.

💬 Isabel Allende
(1942), escritora chilena

No se trata de mi desempeño. Se trata del desempeño de Jesús por mí. La gracia no está ahí para un futuro yo, sino para el verdadero yo. El yo que ha batallado. El yo desordenado... Él me ama en mi desastre; él no estaba esperando hasta que yo me purificara.

💬 Jefferson Bethke (1990), narrador estadounidense

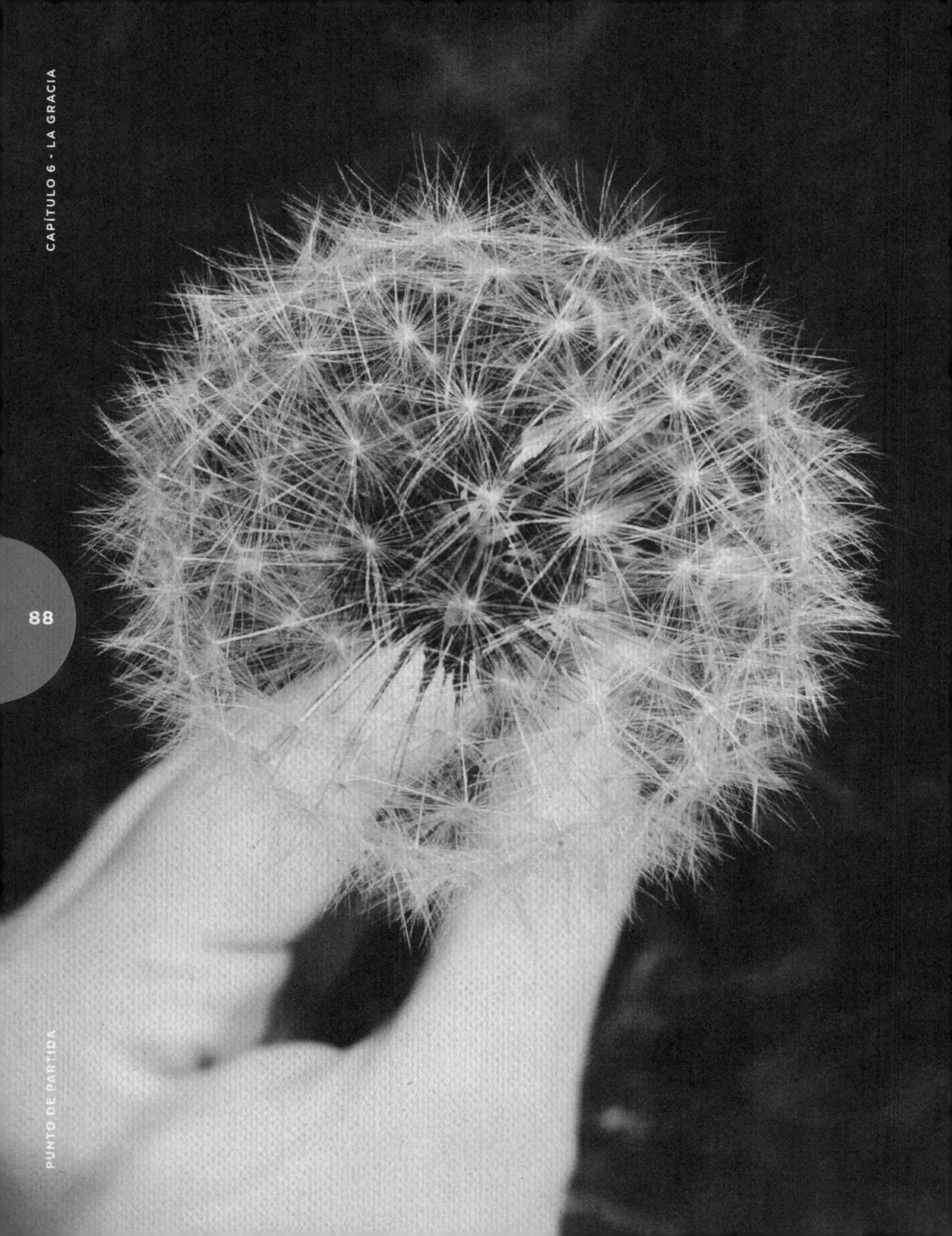

SECCIÓN UNO:
PREGUNTAS

1 ¿Cómo afecta tu vida espiritual esta noción de que el desempeño determina nuestro valor?

2 ¿Cómo notas que la cultura del desempeño ha influido tu forma de concebir a Dios?

3 ¿Cuál experiencia te viene a la mente cuando intentas recordar alguna ocasión donde no recibiste el castigo que merecías (en el trabajo, en la escuela, en tu familia)?

No hay nada que podamos hacer para que Dios nos ame más. No hay nada que podamos hacer para que Dios nos ame menos.

● Philip Yancey (1949), autor estadounidense

SECCIÓN DOS:
FAVOR INMERECIDO

En el capítulo 5 hablamos del perdón. Descubrimos que la muerte de Jesús pagó por todos nuestros pecados pasados, presentes y futuros. Como declaró el apóstol Pablo, mediante Cristo, Dios

> ...anuló la deuda que teníamos pendiente por los requisitos de la ley.
> Colosenses 2:14

En otras palabras, por medio de Cristo, Dios quitó todas las barreras para ser adoptados en su familia. Aquí es donde muchos cristianos se han confundido. Después de haber iniciado una relación con Dios por medio de la fe y no por su desempeño, se inclinan a proseguir su relación con Dios en base a su propio desempeño. Sin darse cuenta, comienzan a suponer que Dios les está premiando o castigando constantemente en base a su conducta. Dejan de comportarse como familia y comienzan a desempeñarse como empleados bajo contrato. Los viejos hábitos tardan en morir.

¿Alguna vez has tratado de negociar con Dios? Cuando le dices «Dios, si me cumples "tal petición" yo te prometo que de ahora en adelante voy a hacer "esto u lo otro"». Piénsalo de esta forma: Las negociaciones se basan en dos supuestos. Número uno: cada parte tiene algo que la otra parte necesita. Número dos: Ninguna de las partes está haciendo favores. Las dos partes desean obtener una ganancia.

¿Sinceramente crees que puedes ofrecerle a Dios algo que él necesita? Parece un poco infantil cuando lo piensas seriamente. Pero no te sientas mal, no eres el único. La mayoría de los sistemas religiosos fomentan una mentalidad de negociación, y es comprensible, así es como funciona el mundo. Pero recuerda, quienes mejor conocieron a Jesús lo dejaron muy claro: no podemos ganarnos el favor de Dios, nadie lo merece.

Yo creo que es mejor pensar que Dios no acepta sobornos.

💬 Jorge Luis Borges
(1899-1986), escritor argentino

No somos la primera generación que ha luchado contra esta forma de pensar. El apóstol Pablo abordó este tema en varias de sus cartas. Tomemos unos momentos para analizar su carta a los cristianos de la antigua ciudad de Colosas:

> Por eso, de la manera que recibieron a Cristo Jesús como Señor...
> Colosenses 2:6

Esa frase por sí sola merece un comentario. Si tú has recibido el favor inmerecido de Cristo, ¿qué fue lo que motivó a Dios para haberte ofrecido su salvación y su perdón? No fue tu comportamiento sino su gracia. Fue un favor inmerecido.

Pablo continúa:

> ...Por eso, de la manera que recibieron a Cristo Jesús como Señor, vivan ahora en él.
> Colosenses 2:6

Básicamente les está diciendo: «Ustedes comenzaron su relación con Dios por medio de la fe, por su inmerecido ofrecimiento del perdón. Por lo tanto, acérquense a Dios todos los días con ese mismo enfoque. Su vida con Cristo comenzó en gracia y debe continuar en gracia». Escucha cómo concluye este pasaje:

> ...arraigados y edificados en él, confirmados en la fe como se les enseñó, y llenos de gratitud.
> Colosenses 2:7

¿Notaste que no mencionó nada sobre negociar? Sin embargo mencionó la gratitud. La vida cristiana se caracteriza por gratitud, no por la negociación. Dios no necesita nada de nosotros; no podemos ofrecerle algo para negociar. Pero él quiere ofrecernos algo imposible de comprar. Algo imposible de ganarse a través de buenas obras.

En su carta a los cristianos de Éfeso, Pablo escribió:

> Porque por gracia ustedes han sido salvados mediante la fe; esto no procede de ustedes, sino que es el regalo de Dios, no por obras, para que nadie se jacte.
> Efesios 2:8-9

Has sido salvado «por gracia». El perdón de Dios debe ser recibido como un regalo, no como un premio que te ganaste en base a tus buenas obras. Dios no te mira como un juez supremo. Dios te mira como un padre ve a un hijo. No te ganaste el derecho a su gracia. Y puedes permanecer en su gracia a pesar de tus acciones.

91

No importa cuántas buenas acciones realicemos, estas no son el boleto para ganar el favor de Dios. Dios nos llena de gracia no por nuestras acciones, sino a pesar de ellas.

💬 Bill Courtney (1968), entrenador de fútbol americano y protagonista de la película deportiva *Undefeated*

92

SECCIÓN DOS:
PREGUNTAS

1 ¿La idea de que una relación con Dios no se basa en tu desempeño es algo nuevo para ti?

2 ¿Cuál tipo de cristianismo has vivido hasta hoy? ¿Un cristianismo donde crees en su gracia o un cristianismo donde constantemente sientes que debes ganarte su favor?

3 ¿Cómo le explicarías la gracia de Dios a una persona convencida que debe «pagar el precio» para obtener algo de Dios?

....

....

....

....

....

....

....

....

....

....

El evangelio declara que no importa cuánto obremos u oremos, no podemos salvarnos a nosotros mismos. Lo que hizo Jesús fue suficiente.

● Brennan Manning (1934-2013),
autor, sacerdote y conferencista estadounidense

SECCIÓN TRES:
LA RAZÓN PARA LA OBEDIENCIA

Trata de recordar el caso más extremo de gracia que hayas experimentado. Un evento donde hayas recibido algo tan inmerecido e inesperado que ni siquiera estabas seguro de poder aceptarlo. ¿Alguna vez te has sentido avergonzado por la gravedad o la importancia de un regalo o un favor? De ser así, probablemente puedas recordar tu sentir al respecto. De no ser así, seguro puedes imaginar cómo te sentirías.

Trata de imaginar a la persona quien pagó tu fianza, te perdonó un préstamo, o te regaló algo de forma inesperada, diciéndote: «No quiero nada a cambio. Este es un regalo. Pero si sientes la necesidad de agradecerme, solo haz por otra persona, en la medida posible, lo que yo hice por ti». Sin duda, por agradecimiento, buscarías cómo hacer el bien.

Con esto en mente, lee cómo Jesús instó a vivir a sus seguidores más cercanos:

> Así como yo los he amado, también ustedes deben amarse los unos a los otros.
> Juan 13:34

Nuestro comportamiento debe emanar de la abundancia de nuestra gratitud por la forma en cómo Dios -mediante Cristo- se comportó con nosotros. No obedecemos para ganarnos una recompensa que deseamos obtener. Obedecemos a causa de una recompensa que ya hemos obtenido. Para los seguidores de Jesús, la obediencia no es un trueque. Es una respuesta voluntaria de gratitud. El apóstol Pablo hace alusión a ese mismo sentimiento cuando escribe:

> Abandonen toda amargura, ira y enojo, gritos y calumnias, y toda forma de malicia. Más bien, sean bondadosos y compasivos unos con otros, y perdónense mutuamente, así como Dios los perdonó a ustedes en Cristo.
> Efesios 4:31-32

El conocimiento de Dios está muy alejado del amor hacia él.

● Blaise Pascal (1623-1662), matemático, físico, filósofo cristiano y escritor francés

Estos imperativos no se presentan como medios para un fin. Pablo no instruyó a sus lectores a ser amables y compasivos como condición para que Dios fuese bueno y compasivo con ellos. Les exhortó a abrazar estas virtudes porque son las mismas virtudes que Dios ha exhibido para con ellos. A continuación, viene algo aún más extraordinario:

> Por tanto, imiten a Dios, como hijos muy amados, y lleven una vida de amor, así como Cristo nos amó y se entregó por nosotros como ofrenda y sacrificio fragante para Dios.
> Efesios 5:1-2

Una vez más, no hay negociación. No hay súplicas. Hemos de hacer por los demás lo que Cristo ya ha hecho por nosotros. Todo cuanto hacemos en la vida cristiana es una respuesta natural a la gracia de Dios en nuestra vida. Como lo expresó el apóstol Juan:

> Nosotros amamos a Dios porque él nos amó primero.
> 1 Juan 4:19

Uno es amado porque uno es amado. No se necesita ninguna razón para amar.

💬 Paulo Coelho (1947), autor brasileño

96

SECCIÓN TRES:
PREGUNTAS

1 Describe a un cristiano (puede ser en teoría una persona que de verdad conoces) que lleva una vida de amor, motivado por gratitud.

2 ¿Qué tan lejos de este ideal han sido los cristianos que has conocido?

¿Por qué crees que es así?

3 ¿Cómo cambiaría tu vida si percibieses la obediencia a las reglas de Dios como oportunidades para expresar gratitud?

Ser agradecido es reconocer el amor de Dios en todo lo que nos ha dado; y nos ha dado todo. La gratitud, por lo tanto, no da nada por sentado, nunca deja de expresarse, está en un constante despertar a nuevas maravillas...

● Thomas Merton (1915-1968), monje, poeta y pensador estadounidense

CONCLUSIONES DEL CAPÍTULO 6

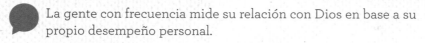 La gente con frecuencia mide su relación con Dios en base a su propio desempeño personal.

 La gracia de Dios es un regalo inmerecido, no un premio por nuestro desempeño.

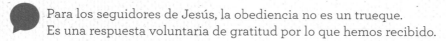 Para los seguidores de Jesús, la obediencia no es un trueque. Es una respuesta voluntaria de gratitud por lo que hemos recibido.

PARA LA SIGUIENTE REUNIÓN:

Lee y completa las preguntas correspondientes al capítulo 7.

Punto de partida tiene como objetivo el explorar tu fe. En la próxima reunión hablaremos sobre la fe. La mayoría de la gente asume que profesar una fe religiosa equivale a tener ciertas creencias acerca de Dios, pero no es tan sencillo.

No entiendo en absoluto el misterio de la gracia, solo sé que nos encuentra donde estamos, pero no nos deja donde nos encontró.

Anne Lamott (1954), escritora y novelista estadounidense

LA FE

SECCIÓN UNO:
LA FE DE CADA DÍA

La fe no es un concepto religioso. La capacidad de creer es la fuerza más poderosa de la humanidad. La capacidad de creer algo y actuar en base a ello ha impulsado desde las acciones más sublimes hasta las atrocidades más oscuras. Toda idea, para bien o para mal, se ha realizado porque alguien creyó que podía y debía realizarse. Cada problema resuelto se ha resuelto porque alguien creyó. Montañas se han movido por medio de la fe; montañas médicas, montañas científicas, montañas financieras.

Las creencias alimentan a la anticipación y a la imaginación. Nos permiten imaginar nuestro futuro y el de los que nos rodean. Por todas estas razones y más, es imposible imaginar una vida sin fe.

Nuestra capacidad de creer puede servirnos como una ventaja o una desventaja. Tenemos una tendencia a buscar la evidencia a favor de nuestras creencias. Es más sencillo percibir esta actitud en otros, pero todos lo hacemos. El problema es: cuando adoptas una creencia falsa o poco útil, tu cerebro filtra y deshecha la información discordante a tu creencia, y por ende causa una resistencia activa a lo verdadero y útil.

Estamos más abiertos a los datos corroborantes de nuestras creencias y nos es más fácil rechazar la información en conflicto con nuestros puntos de vista. ¿Has notado cuán rápidamente te pones a la defensiva cuando se te presenta información que contradice tus creencias? Quizá lo has experimentado durante este estudio. Suele pasarle a la mayoría de los participantes.

Nacemos creyendo. Un hombre produce creencias como un árbol produce manzanas.

💬 Ralph Waldo Emerson
(1803-1882), escritor, filósofo y poeta estadounidense

No se vive sin la fe. La fe es el conocimiento del significado de la vida humana. La fe es la fuerza de la vida. Si el hombre vive es porque cree en algo.

León Tolstói (1828-1910), escritor ruso

SECCIÓN UNO:
PREGUNTAS

1 ¿De qué manera la capacidad universal de creer es similar o diferente a la fe religiosa?

2 ¿De qué manera tu cultura, tu familia y tus amigos han impactado tus creencias?

3 ¿Alguna vez has cambiado tus creencias o convicciones? ¿Cómo fue este proceso?

La fe es dar el primer paso, incluso cuando no ves toda la escalera.

● Martin Luther King, Jr. (1929-1968), pastor afroestadounidenses y activista líder del movimiento de los derechos civiles

SECCIÓN DOS:
CREER O CONFIAR

Si suficientes personas creen lo mismo, se crea un movimiento, una nueva religión. Pon a un líder persuasivo al frente, y acto seguido, el mundo comienza a notarlo. Esta dinámica explica la propagación de la mayoría de los movimientos religiosos populares. Pero, ¿sabías que la historia del cristianismo es diferente?

Históricamente cada vez que fallecía la figura principal de un movimientos popular, sus seguidores se unían para preservar el mensaje y la misión de su líder. Ese fue el caso del profeta Mahoma, quien murió de causas naturales en el año 623. Pero cuando Jesús fue crucificado, su movimiento estaba a punto de morir también. La visión murió con él porque él era la visión. El movimiento de Jesús iba más allá de una ideología. Jesús llamó a sus seguidores a creer en él, no en sus ideas. Este tema se refleja en la que posiblemente es la declaración más importante del Nuevo Testamento:

> Porque tanto amó Dios al mundo, que dio a su Hijo unigénito, para que *todo el que cree en él* no se pierda, sino que tenga vida eterna.
> Juan 3:16

Hacia el final de su vida, era evidente para todos que Jesús afirmaba ser uno con Dios. Incluso llegó a decir:

> El Padre y yo somos uno.
> Juan 10:30.

> El que me ha visto a mí, ha visto al Padre.
> Juan 14:9

Declaraciones como estas dieron motivos a sus enemigos para condenarlo por blasfemia. Pero muchos de los seguidores de Jesús creían que él era exactamente quien decía ser. Cuando Jesús cuestionó a sus discípulos con respecto a su identidad, el apóstol Pedro le dijo:

> Tú eres el Cristo,
> el Hijo del Dios viviente.
> Mateo 16:16

¿Y sabes cómo le respondió Jesús?

> Dichoso tú, Simón, hijo de Jonás —le dijo Jesús—, porque eso no te lo reveló ningún mortal, sino mi Padre que está en el cielo.
> Mateo 16:17

Jesús permitió a otros otorgarle el título de «Hijo de Dios». No negó la descripción de Juan el Bautista como «Cordero de Dios que quita el pecado del mundo».[1] Cuando murió su amigo Lázaro, Jesús le dijo a sus hermanas:

> Yo soy la resurrección y la vida. El que cree en mí vivirá, aunque muera.
> Juan 11:25

Jesús no afirmó conocer la verdad sobre la resurrección. ¡Él afirmó ser *la resurrección* misma! No le pidió a María y a Marta creer *en tal o cual idea*. Les pidió que depositaran su confianza *en él*.

Jesús no vino a dejar a sus seguidores una colección de doctrinas y parábolas para transmitirlas a la siguiente generación. Jesús fue más allá. Sus declaraciones sobrepasaron las de un gran maestro. Por lo tanto, no es de sorprender que cuando sus discípulos le vieron morir, sintieron morir el movimiento. Los mesías no mueren. Los hijos de Dios no pueden ser asesinados. Es imposible crucificar a «la resurrección y la vida». Pero ahí estaba. Clavado en una cruz romana. Sin vida alguna.

Cuando Jesús murió, nadie creía que él era quien decía ser.

Cuando Jesús murió, no había cristianos.

Sus seguidores huyeron. No hubo una discusión acerca de cómo mantener viva sus enseñanzas. No había nada que discutir. Sus seguidores podían elegir entre dos explicaciones: Jesús estaba confundido o ellos habían sido engañados.

Aquí es donde la historia del cristianismo marca un punto y aparte con otros sistemas e instituciones religiosas. Aquí es donde la historia se vuelve tanto inexplicable como innegable. Es innegable, pues los discípulos arriesgarían sus vidas afirmado que Jesús volvió a la vida. Es inexplicable, porque dos mil años jamás hemos visto algo similar. Lo más importante para nuestros propósitos es entender que Jesús marcó una gran diferencia, no por sus notables enseñanzas, ni por su extraordinaria vida. Fue algo más...

Él resucitó.[2]

Jesús se levantó de entre los muertos y no había nadie afuera de su tumba esperándolo. Ni siquiera sus más fieles seguidores creían que Jesús había vuelto a la vida hasta que lo vieron con sus propios ojos. Y hasta ese momento, pasaron de la incredulidad a la certeza absoluta.

El autor del evangelio de Lucas y el libro de Hechos, registra lo acontecido en Jerusalén, cuando los seguidores de Jesús salieron a las calles a proclamar su resurrección. Miles se reunieron para escuchar la noticia. Pedro fue el portavoz designado. Su mensaje fue directo. No recordó las enseñanzas de Jesús. No repitió sus parábolas. En lugar de ello, se dirigió a la multitud y resumió:

Ustedes lo mataron.
Dios lo levantó de entre los muertos.
Lo hemos visto.
Es hora de pedir perdón.[3]

El atrevimiento de Pedro al dirigirse a las mismas personas que habían apoyado el juicio y la ejecución de Jesús es imposible de explicar a menos que decidamos aceptar la propia explicación de Pedro: él había visto, había tocado y había conversado con el Mesías resucitado. Con la resurrección de Jesús, la fe de Pedro también resucitó.

107

---

[1] Juan 1:29

2 Lucas 24:6
3 Hechos 2-3

108

SECCIÓN DOS:
PREGUNTAS

1 ¿De qué manera las declaraciones de Jesús acerca de sí mismo lo hacen diferente a otros grandes líderes religiosos?

2 ¿Por qué la muerte de Jesús fue particularmente devastadora para sus seguidores?

3 ¿De qué manera el comportamiento de los discípulos dio credibilidad a las afirmaciones del cristianismo?

Jesús no da recetas que muestran el camino a Dios como otros maestros en la religión lo hacen. Él en sí es el camino.

● Karl Barth (1886-1968), influyente teólogo sueco reformado, considerado uno de los más importantes pensadores cristianos del siglo XX

SECCIÓN TRES:
LA FE NO ES CIEGA

Seguir a Jesús requiere fe. Específicamente, requiere poner nuestra confianza en Jesús. No en las enseñanzas de Jesús, sino en la persona de Jesús. El cristianismo no requiere una fe ciega. El cristianismo es una fe informada. En el centro hay un evento validado por personas cuya fe se había perdido cuando Jesús murió, pero que la recuperaron cuando se levantó de entre los muertos. El fundamento del cristianismo no es una lista de *creencias* o ideologías. Es la *confianza* en una persona en particular.

Jesús se levantó de entre los muertos. Los cristianos lo creen, no porque la Biblia lo dice. Los cristianos lo creen porque los testigos Mateo y Juan lo dijeron. Los cristianos creen porque Lucas, un médico del siglo I, afirmó haber investigado a fondo los hechos relativos a la vida y la crucifixión de Jesús. Lucas llegó a la conclusión de que Jesús resucitó de entre los muertos y pasó la segunda mitad de su vida viajando por todo el Imperio Romano contando esa historia. Jesús se levantó de entre los muertos; los cristianos lo creen porque Pedro así lo creía. Pedro, quien en la noche del arresto de Jesús negó conocerlo, se convirtió en el líder de la iglesia en Jerusalén, la ciudad donde ocurrieron estos acontecimientos.

Los cristianos creen porque Marcos, un amigo y compañero de Pedro, dio testimonio de la verdad de la resurrección de Jesús. Por último, los cristianos creen porque Pablo creyó. Pablo, quien ese entonces era un perseguidor de los cristianos, llegó a creer en Jesús como el Hijo de Dios y en Su resurrección de entre los muertos.

Estos testigos pagaron un alto precio por su fe. La mayoría fueron martirizados. A lo largo de la historia, hombres y mujeres valientes han dado su vida por sus creencias. Este grupo fue diferente. Dieron su vida por lo que vieron: *a Jesús resucitado.*

Como todas las religiones, el cristianismo requiere fe. Específicamente, el cristianismo requiere fe en una persona. Por esta razón, cualquier persona que investiga el cristianismo debe responder una pregunta: *¿Quién es Jesús?*

La fe no teme a la razón. Estas son como dos alas con las cuales el espíritu humano se eleva hacia la contemplación de la verdad. Dios ha puesto en el corazón del hombre el deseo de conocer la verdad y, en definitiva, de conocerlo a Él para que, conociéndolo y amándolo, pueda alcanzar también la plena verdad sobre sí mismo.

Juan Pablo II (1920-2005), el 264º papa de la Iglesia católica

SECCIÓN TRES:
PREGUNTAS

1 ¿Hay alguna de tus creencias por la cual estés dispuesto a morir?

2 ¿Crees que la resurreción de Jesús añade valor a la credibilidad del cristianismo o simplemente lo hace más fantasioso y mitológico?

3 ¿De qué manera ha sido impactada tu forma de percibir a Jesús durante las últimas siete semanas?

....

....

....

....

....

....

....

....

....

....

....

Asegúrate de poner tus pies en el lugar correcto; luego párate con firmeza.

● Abraham Lincoln (1809-1865),
decimosexto presidente de los Estados Unidos

CONCLUSIONES DEL CAPÍTULO 7

La capacidad de creer es la fuerza más poderosa de la humanidad.

La diferencia entre Jesús y otros líderes religiosos no son sus notables enseñanzas, ni siquiera su extraordinaria vida. Es algo más... es el hecho de que Jesús murió y resucitó.

El cristianismo requiere fe en una persona. Por esta razón, cualquier persona que investiga el cristianismo debe responder una pregunta: *¿Quién es Jesús?*

PARA LA PRÓXIMA REUNIÓN:

Lee y responde las preguntas correspondientes al capítulo 8.

La próxima reunión será la última de este estudio. Durante las últimas siete reuniones has explorado tu fe y has conocido gente nueva que quizá te han llevado a considerar nuevas ideas. Tómate un tiempo para reflexionar sobre tu experiencia en Punto de partida.

La fe no es la capacidad de creer en el futuro brumoso. Se trata simplemente de tomar a Dios en su Palabra y dar el siguiente paso.

Joni Eareckson Tada (1949), autora y presentadora estadounidense conocida por su gran fe aun después de quedar tetrapléjica a causa de un accidente

UNA INVITACIÓN

SECCIÓN UNO:
UN NUEVO PROPÓSITO

Seguramente anhelas encontrar el propósito de tu vida. Algo dentro de ti se pregunta *¿para qué estoy aquí?... ¿por qué fui creado?* La idea de encontrarle sentido a la vida nunca nos abandona. En nuestro interior, reconocemos que el propósito de nuestras vidas debe ir más allá de nosotros mismos. Es como una sed insaciable; queremos sentirnos parte importante del universo. Con el tiempo nos damos cuenta de la triste realidad: nuestra gloria individual no es suficiente. Ahí no hay satisfacción.

C. S. Lewis hizo alusión a esta idea cuando escribió:

> Si encuentro en mí deseos que nada en este mundo puede satisfacer, la única explicación lógica es que fui creado para otro mundo.
> Tomado del libro *Mero cristianismo*

El anhelo por propósito no es una experiencia exclusivamente cristiana. Es parte de la condición humana. Sin embargo, para la mayoría, conduce a la frustración y a la desilusión. Cuando somos jóvenes, soñamos con cambiar el mundo. Pero al crecer,

pareciera que el mundo nos cambia. Nos vemos tentados a bajar nuestros estándares y a ajustar nuestras expectativas. Si no tenemos cuidado, nos hacemos más cínicos y propensos a la crítica.

¿Y si Dios tiene un plan para ti y este no está sujeto a quién has sido hasta hoy? ¿Y si restaurar tu fe es en realidad una oportunidad para restaurar tu vida? Jesús dijo algo al respecto; una parte de la razón de su venida fue para que pudiésemos tener *vida*.[1] Unos veinte años más tarde, Pablo le recordó a Timoteo: quienes siguen a Jesús «obtendrán la vida verdadera».[2]

Ese algo dentro de ti buscando un significado más profundo para tu corto tiempo en este planeta, es un anhelo de conectar con el plan de Dios para tu vida. Él te ha dado la materia prima. Talento. Oportunidad. Bajo el abrigo de su gracia y misericordia, estos elementos y peculiaridades azarosos adquieren importancia. Tu singularidad te posiciona para jugar un papel especial en una gran historia. Dios quiere que descubras la plena expresión de quién eres. Pero no puedes hacerlo solo. Tu singularidad alcanza su máxima y mejor expresión cuando se conecta a Su propósito divino en el mundo.

---

1 Juan 10:10
2 1 Timoteo 6:19

El espacio en el que la necesidad de una persona y sus dones se juntan es el espacio para el servicio, una oportunidad y tal vez un llamado.

💬 Dr. Henry Cloud (1956), autor estadounidense del libro *Límites*

SECCIÓN UNO:
PREGUNTAS

1 ¿Cuándo comenzaste a anhelar un sentido más profundo de tu vida?

2 Nombra dos o tres dones o talentos que te han ayudado a encontrar propósito en tu vida.

3 ¿Qué piensas de la idea de que Dios tiene un plan para tu vida?

Puesto que Dios nos hizo para Él, nuestros corazones permanecen inquietos hasta que descansan en Él.

● San Agustín (354-430),
padre y erudito de la iglesia católica

SECCIÓN DOS:
EKKLESÍA

Jesús le preguntó a sus discípulos la opinión de la gente respecto a Su identidad. ¿Lo veían simplemente como otro rabino, un maestro, o quizá un revolucionario? Después de escuchar una variedad de respuestas, preguntó:

«Y ustedes», les dijo.

«¿Quién dicen que soy yo?»

—Tú eres el Cristo, el Hijo del Dios viviente —afirmó Simón Pedro.
Mateo 16:15-16

La siguiente declaración de Jesús es de extrema importancia. Si hubiese creído que Pedro estaba atrapado por la histeria colectiva como resultado de sus milagros y enseñanzas, este habría sido el momento perfecto para negar Su divinidad. Después de todo, Él había introducido el tema. Pero no amonestó a Pedro; le animó:

Dichoso tú, Simón, hijo de Jonás —le dijo Jesús—, porque eso no te lo reveló ningún mortal, sino mi Padre que está en el cielo.
Mateo 16:17

Piénsalo. Jesús no solo confirmó la extrema percepción de Pedro, ¡sino que acreditó su respuesta a Dios! Fue el equivalente a decirle: «Pedro, no solo estoy de acuerdo contigo; Dios también está de acuerdo». Pero Jesús no había terminado:

Yo te digo que tú eres Pedro [Petros] y sobre esta roca [petra] edificaré mi iglesia, y las puertas del reino de la muerte no prevalecerán contra ella.
Mateo 16:18

Usando un juego de palabras, Jesús reafirma la declaración de Pedro al tiempo que revela su visión para el futuro. Así como Pedro significa «roca», la respuesta de Pedro a la pregunta de Jesús sería el cimiento de una nueva comunidad de personas con ideas afines: *la iglesia.*

La *verdadera iglesia* jamás puede fracasar, pues está edificada sobre una roca.

● T. S. Eliot (1888-1965), poeta, dramaturgo y crítico literario británico-estadounidense

La palabra *«iglesia»* en este pasaje es una traducción de la palabra griega *«ekklesía»*. Para la audiencia original, este no era un término religioso. Simplemente describía una reunión o asamblea de personas convocadas para un propósito específico. Cualquier tipo de asamblea —cívica, militar o de otro tipo— podría describirse como una ekklesía. A las afueras de una ciudad cuyo nombre era en honor a un rey griego y a un emperador romano, Jesús anunció sus planes de establecer una nueva reunión, una asamblea única de personas. La base de este nuevo movimiento no sería una agenda nacional, social ni política. Sería una reunión de personas que creían algo: *Jesús es el Mesías, el Hijo del Dios vivo.*

La declaración de Jesús debe haberles sonado extraña (incluso un poco ostentosa) a sus discípulos. Después de todo, solo eran ellos doce y Jesús. Pero Jesús cumplió su promesa. El hecho de estar participando en una conversación sobre Jesús cerca de dos mil años después, es una prueba de que Jesús fue fiel a su palabra. Al hacer la referencia al reino de la muerte, su punto fue inconfundible para su audiencia original. Ni siquiera su muerte detendría la *ekklesía* de Jesús.

Como descubrimos en el capítulo anterior, la muerte y la posterior resurrección de Jesús fue la motivación de sus seguidores para llevar el evangelio a las calles de Jerusalén. Ahí en la misma ciudad donde fue juzgado y crucificado, nació la iglesia. No había edificios. No había credos. No había Biblia como la tenemos hoy. La iglesia era una creciente reunión de hombres y mujeres con algo en común: creían que Jesús era el Hijo de Dios.

Estoy impactada de que mi Dios, quien podría hacer todo esto por sí solo, optase por dejarme ser una pequeña parte de todo.

● Katie J. Davis (1989), autora y misionera estadounidense quien adoptó a 14 huérfanos de Uganda

123

124

SECCIÓN DOS:
PREGUNTAS

1 ¿Qué imágenes o recuerdos evocan en tu mente la palabra *«iglesia»*?

2 La descripción del propósito original de la iglesia, ¿difiere de tu experiencia personal o la reafirma?

3 Si Jesús te preguntase, «Y tú, ¿quién dices que soy yo?», ¿cuál sería tu respuesta?

El funcionamiento de la iglesia está configurado por completo para los pecadores; lo que crea mucho malentendido entre los engreídos.

💬 Flannery O'Connor (1925-1964), escritora estadounidense

SECCIÓN TRES:
TU SIGUIENTE PASO

Jesús no predijo una religión. No predijo una institución. Predijo un pueblo. Anticipó una asamblea de personas imperfectas cuya fe en un Salvador resucitado les llevaría a adoptar un estilo de vida que reflejara la gracia, el perdón y la bondad de su Padre Celestial. En el caso de muchas personas, sin embargo, *la gracia, el perdón y la bondad* no son los términos que utilizarían para describir la iglesia actual. Tú mismo tal vez hayas llegado a esa conclusión. Una mala experiencia en la iglesia pudo haberte alejado de la fe. Pero hay una buena noticia: en cada generación, un contingente de creyentes se niega a considerar la iglesia como un club social o un lugar para aparentar. Siempre ha habido, y siempre habrán, seguidores fieles de Jesús. Estos ven a la iglesia como un movimiento; un movimiento caracterizado por el amor de los unos a los otros y al mundo.

Seguramente hay en ti un sentimiento de gratitud por haber sido invitado a esta experiencia de Punto de partida. En algún momento, probablemente sentiste una oleada de gratitud por los líderes de tu grupo. Quizá te has preguntado: «*¿Quiénes son estas personas y dónde encuentran la motivación y la energía para hacer todo esto?*». Lo que has experimentado y observado durante estas últimas semanas es la iglesia. Tu vida ha sido enriquecida por personas desconocidas, personas respaldadas por sus dones y su pasión. Alguien hizo lo mismo por ellos en el pasado.

En este camino de encuentro o reencuentro con tu fe, esperamos que este haya sido tu primer y no tu último paso. Le pedimos a Dios que tu nueva fe infunda en ti el deseo de ayudar a otros a redescubrir su fe. En pocas palabras, nos gustaría verte tomar un papel activo en el movimiento de Jesús en tu generación.

Este es tu tiempo... reclama tu lugar en la historia encontrando tu lugar en la iglesia local. Esta es tu oportunidad de hacer por los demás lo que otros han hecho por ti.

Una vida que no es vivida para los demás no es vida.

● Madre Teresa (1910-1997), monja católica de origen albanés quien atendió a pobres, enfermos y huérfanos en la India

Vivir es separarnos del que fuimos para internarse en el que vamos a ser, futuro extraño siempre.

💬 Octavio Paz (1914-1998), poeta, ensayista y diplomático mexicano

127

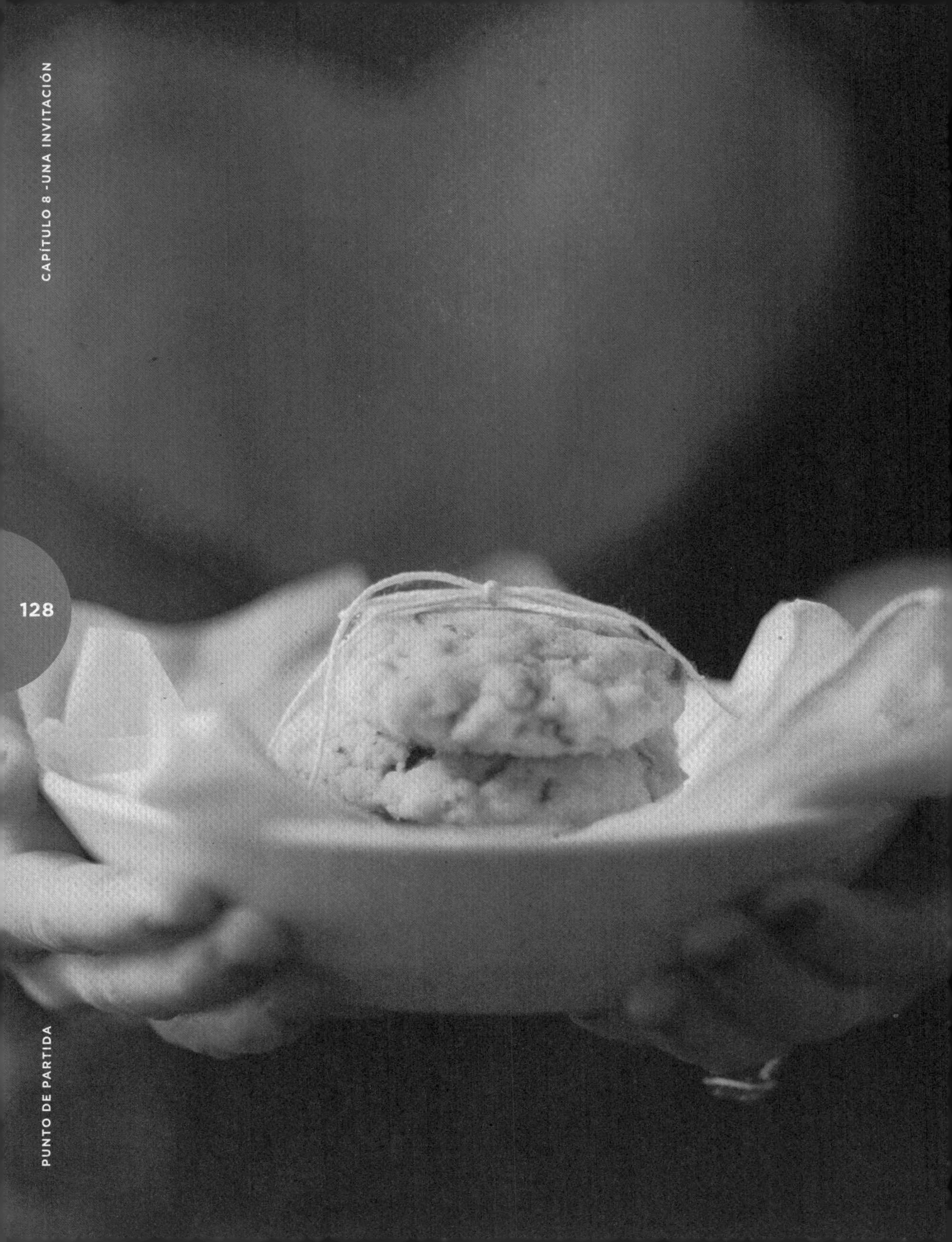

SECCIÓN TRES:
PREGUNTAS

1 ¿Dónde podrías usar tus talentos y pasiones dentro de la iglesia?

2 ¿Qué te llevas de esta experiencia de Punto de partida?

3 ¿Cuál debería ser tu siguiente paso en tu caminar espiritual?

129

Puesto que Dios conoce nuestro futuro, nuestra personalidad y nuestra capacidad para escuchar, nunca nos dirá más de lo que podemos hacer frente en el momento.

💬 Charles Stanley (1932), escritor y pastor estadounidense

CONCLUSIONES DEL CAPÍTULO 8

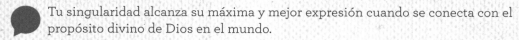 Tu singularidad alcanza su máxima y mejor expresión cuando se conecta con el propósito divino de Dios en el mundo.

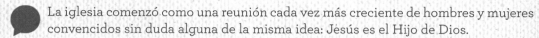 La iglesia comenzó como una reunión cada vez más creciente de hombres y mujeres convencidos sin duda alguna de la misma idea: Jesús es el Hijo de Dios.

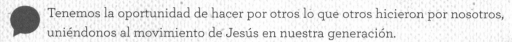 Tenemos la oportunidad de hacer por otros lo que otros hicieron por nosotros, uniéndonos al movimiento de Jesús en nuestra generación.

DESPUÉS DE QUE EL GRUPO CONCLUYA:

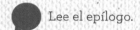 Lee el epílogo.

Celebra tanto el recién finalizado viaje de ocho semanas, como el que comienza a partir de este momento.

Mantén contacto con un grupo en tu iglesia donde puedas seguir explorando la fe en un ambiente de compañerismo.

Creo que esta es la verdadera prueba de que alguien se ha acercado a Jesús: su corazón es más amoroso, menos juicioso, más inocente, considera cada vez menos que posee todas las respuestas y es más creyente en Él.

Donald Miller (1971), autor estadounidense del libro *Blue Like Jazz*, entre otros

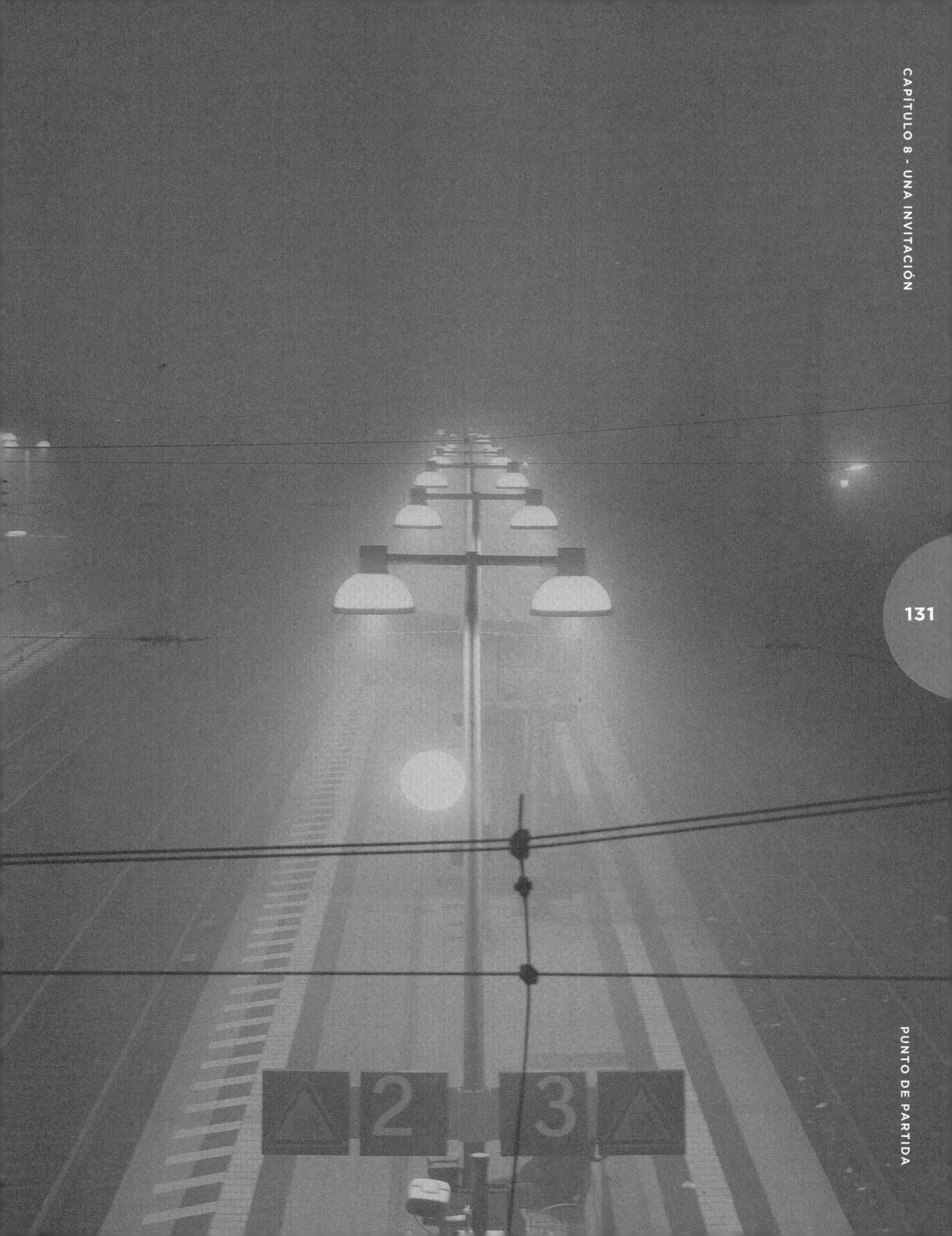
2
3

APÉNDICES

APÉNDICE - ¿CUÁL ES TU HISTORIA?

APÉNDICE:
¿CUÁL ES TU HISTORIA?

La idea de contar tu historia a los integrantes de tu grupo puede hacerte sentir un poco incómodo, lo entendemos. Puedes omitir lo que no quieras revelar. El objetivo no es indagar en tu vida. Es permitir a las personas de tu grupo una mejor noción de ti, de aquello que te hace único.

¿Qué partes de tu historia debes contar?

Si piensas en tu historia, probablemente se centra alrededor de personas, lugares y eventos. Esas tres categorías reflejan la forma en que interactuamos con nuestro entorno.

Una manera de organizar tus ideas sobre tu historia personal, es haciendo uso del espacio previsto para identificar a las personas importantes en tu vida, los lugares especiales para ti y los eventos más significativos. Es tan simple como eso.

Probablemente no podrás hablar de todas las personas, los lugares y los eventos importantes, pues solo tendrás de cinco a diez minutos para compartir. Pero eso te dará un buen comienzo. A partir de aquí, puedes pensar en las partes de tu historia más

importantes para enfatizar. Es tu historia. Eres libre de compartir lo que quieras.

Sobre todo, recuerda esto: quizá pienses que los miembros de tu grupo no están interesados en tu historia, pero eso no es cierto. La mayoría de nosotros queremos conocer un poco más de las personas a nuestro alrededor. Y estamos predispuestos a empatizar y conectarnos con otros. Tu historia ayudará a crear unidad entre los integrantes de tu grupo. Te sorprenderá ver cuántas personas se identificarán con algunas partes de tu historia.

Las historias son la conversión creativa de la vida misma en una experiencia más poderosa, más clara, más significativa. Son la base del intercambio del contacto humano.

🗨 Robert McKee (1941), imparte cursos de escritura de guión cinematográfico

GENTE CLAVE:

....

....

....

....

....

LUGARES CLAVE:

....

....

....

....

....

EVENTOS CLAVE:

....

....

....

....

....

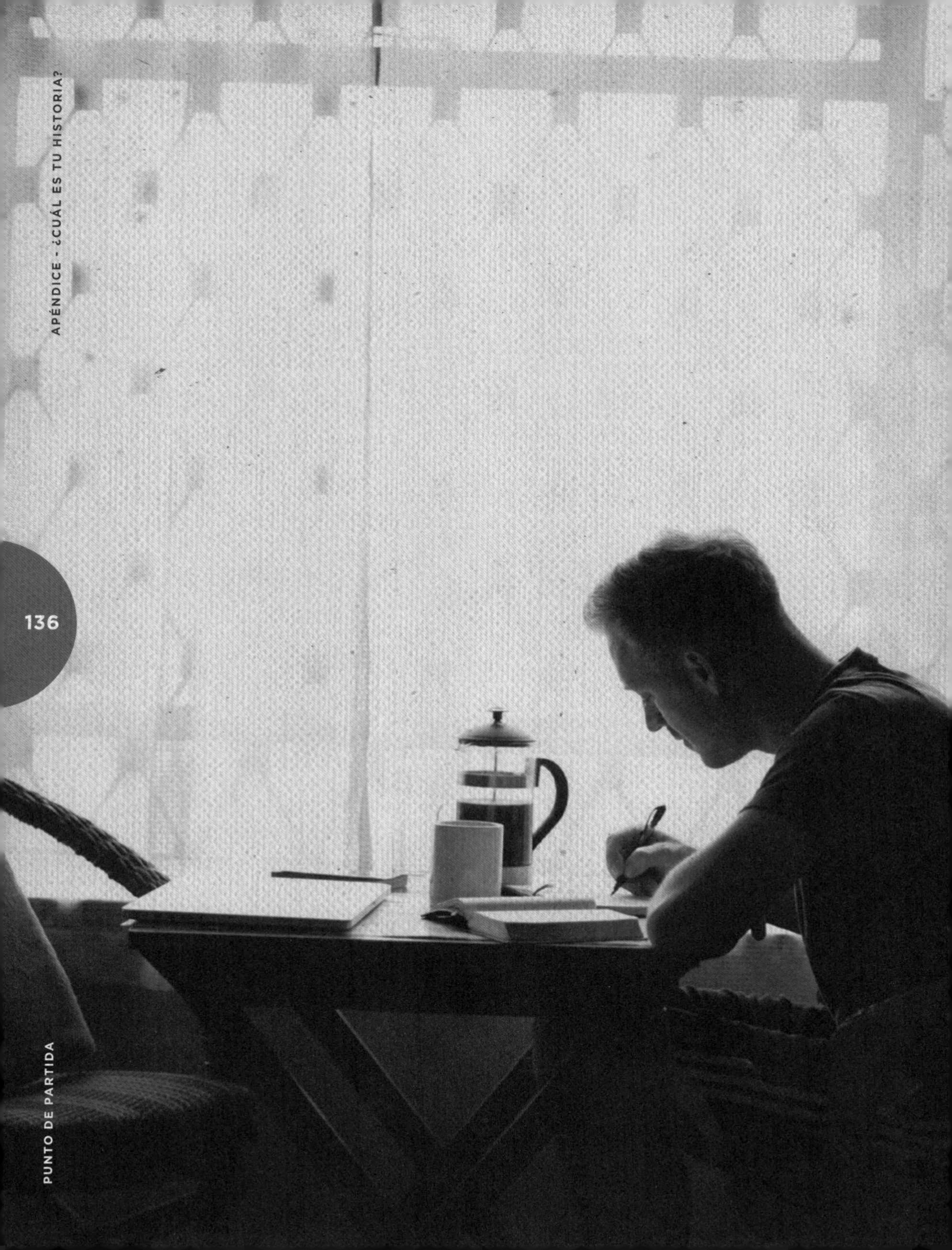

NOTAS PARA TU HISTORIA

Sé tú mismo; todos los demás ya tienen quien los interprete.

💬 Oscar Wilde (1854-1900), escritor, poeta y dramaturgo irlandés

APÉNDICE:
GUÍAS DE LECTURA BÍBLICA

Si estás interesado en leer la Biblia, no tienes que empezar desde el principio y leerla hasta el final. De hecho, quizá esa no sea la mejor manera de empezar. Por lo tanto, hemos preparado un par de opciones para hacer de tu lectura bíblica una experiencia agradable y útil. Sea cual sea tu opción predilecta, te recomendamos hacerte las siguientes preguntas mientras lees. Estas preguntas te ayudarán a comprender mejor tu lectura y cómo se aplica a tu vida:

1. ¿Qué dice el pasaje?

2. ¿Qué quiso decir el autor original a su audiencia original?

3. ¿Cómo Dios quiere que yo aplique este mensaje a mi vida?

138

EXPLORA A JESÚS EN 21 DÍAS

Los Evangelios -Mateo, Marcos, Lucas, Juan- son cuatro recuentos diferentes de la vida de Jesús. Este plan de lectura explora dos Evangelios: Lucas y Juan.

Día 1: Lucas 1–2
Día 2: Lucas 3–4
Día 3: Lucas 5–6
Día 4: Lucas 7–8
Día 5: Lucas 9–10
Día 6: Lucas 11–12
Día 7: Lucas 13–15
Día 8: Lucas 16–18
Día 9: Lucas 19–20
Día 10: Lucas 21–22
Día 11: Lucas 23–24

Día 12: Juan 1–2
Día 13: Juan 3–4
Día 14: Juan 5–6
Día 15: Juan 7–8
Día 16: Juan 9–10
Día 17: Juan 11–12
Día 18: Juan 13–15
Día 19: Juan 16–17
Día 20: Juan 18–19
Día 21: Juan 20–21

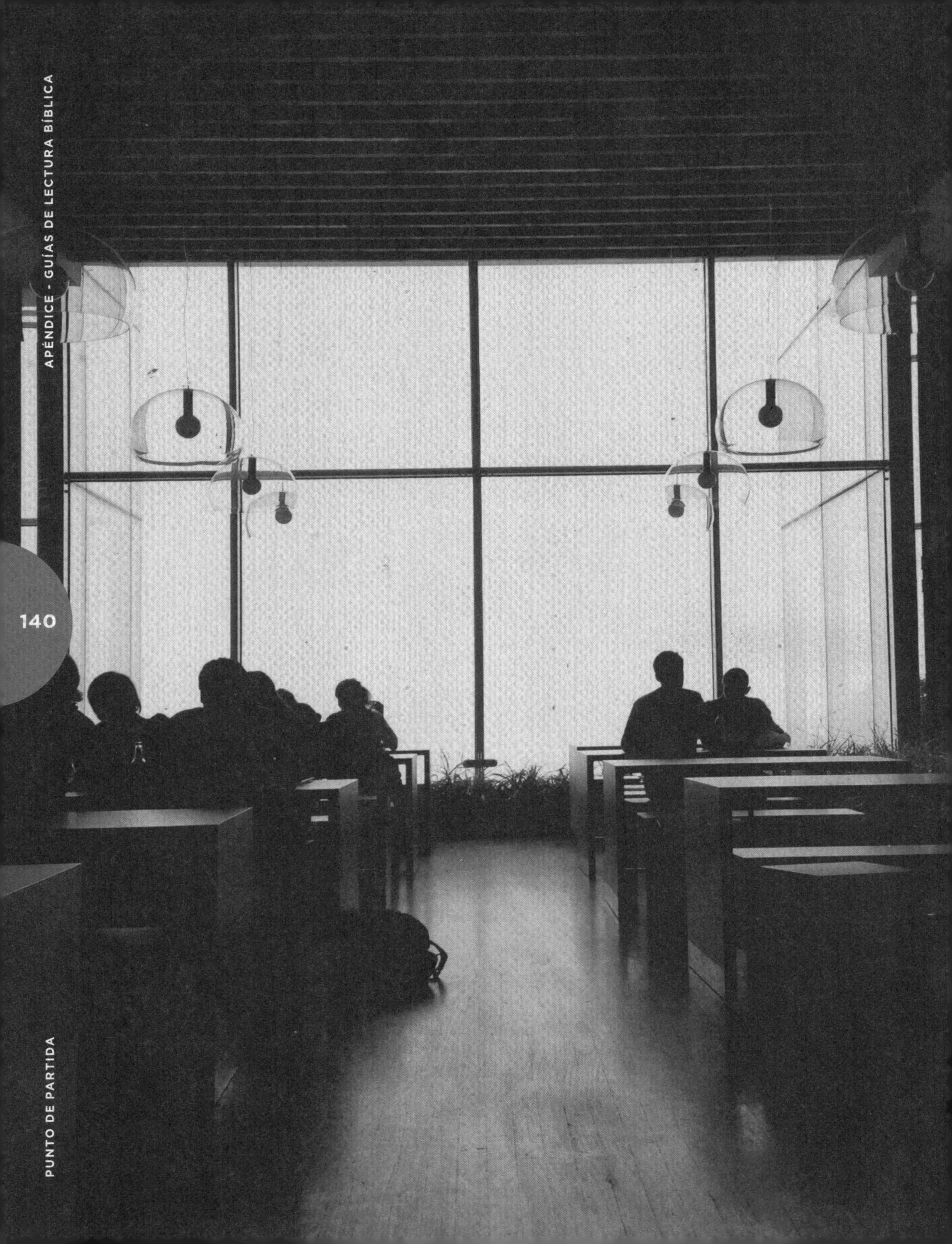

MUESTRA DE LAS ESCRITURAS EN 10 SEMANAS

Este plan de lectura incluye libros completos o partes significativas de los libros, los cuales abarcan diferentes períodos de tiempo y géneros literarios en la historia bíblica. Al leer este plan, experimentarás la narrativa histórica, canciones, mensajes proféticos, relatos de viajes y cartas personales. También leerás las conocidas historias de la creación, el éxodo y el movimiento cristiano primitivo. Conocerás personajes bíblicos, como el rey David, el profeta Jonás y Jesús. El propósito de este plan de lectura es que descubras la gran historia de redención de la Biblia.

Semana 1: Génesis 1–25
Semana 2: Éxodo 1–20; Rut
Semana 3: 1 Samuel 16–31, 2 Samuel 1–7
Semana 4: Salmos 1–41
Semana 5: Amos, Abdías, Jonás, Miqueas
Semana 6: Ester, Esdras
Semana 7: Marcos
Semana 8: Hechos 1–12, 1 Pedro
Semana 9: Hechos 13–28
Semana 10: Romanos, Efesios

EPÍLOGO

Hemos llegado al final del principio. Esperamos que esta experiencia te acompañe toda la vida y a través de la misma hayas podido estrechar tu relación con Dios y con otros creyentes. Hemos diseñado Punto de partida con el fin de crear un ambiente seguro donde puedas hacer preguntas sobre Dios y la fe. No porque esta experiencia haya llegado a su fin ya todas tus preguntas han sido contestadas. De hecho, mientras más continúes investigando y creciendo en tu relación personal con Dios, más preguntas saldrán a la superficie. Es normal.

Esperamos que no solo te sientas cómodo buscando las respuestas por ti mismo, sino también buscando una relación más profunda con Dios y procurando buenas relaciones con otros compañeros. Mediante estas conversaciones has aprendido más acerca de Dios, de otras personas y de ti mismo. Te invitamos a continuar las conversaciones sobre la fe en un grupo nuevo.

Hemos hablado de muchas cuestiones importantes. Una de las más importantes es quién es Jesús y qué hizo por ti. Quizá estés o no estés listo para poner tu fe en Jesucristo. Estés donde estés en tu caminar espiritual, le pedimos a Dios que continúes en el camino. Dios te ama. Dios desea tener una relación personal contigo. ¿Cuál es tu siguiente paso?